撤退学宣言

ホモ・サピエンスよ、
その名に値するまで
あと一歩だ

堀田新五郎

晶文社

イラストレーション　一乗ひかる
ブックデザイン　鈴木成一デザイン室

序

え、タイトルが意味不明？　ですよね。にもかかわらず、本書を手にしていただきありがとうございます。「撤退学」ってなんですかね？　なんかマヌケなにおいがしますけど、大丈夫？　なんて気になった方は、このあとすぐに本論の「はじめに」を読んでみてください。撤退学の背景だとか目的だとかが書かれています。ということで、くわしい話はそちらにまかせ、ここでは少しだけ補足を。

「撤退」ってやっぱり、イメージ悪いですよね。負けました！　逃げだします！　って感じ。たとえば企業なんかで、海外拠点からの撤退を決定！　なんて聞くと、プロジェクトを進めてきた常務は出世レースから脱落か？　常務派のオレってヤバくね？　といった負け組のイメージです。軍の撤退は、もう敗北ですしね。出世競争とか戦争とか、戦いの場面では、撤退って脱落や負けですから、イメージが悪いのも当然です。でも、ちょっと考えてみましょう。そもそも、なんで戦ってるんですかね？　その戦い、本当に戦う価値があるの？　なんて問いかけてみると、少しちがった景色が見えてはこないか。出世競争、それに人生をかける意味ある？　その戦争、泥沼化してない？　戦いに没入してる人は、「どうやって勝つか」だけを考えています。その場合、撤退はただの敗北です。でも、問題は撤退ではなく、むしろ「没入」だったりはしないか？　学校も会社も国際社会も、つまんない戦いや競争ばっかりで、ああ嫌だと思っても、みんなが没入してるから自分だけ撤退なんてできず、いつかついに、自殺や過労死やジェノサイドにまでいってしまう。こうしたこと、けっこう起きてはいませんか？

ということで、撤退です。撤退は敗北というより、自分でちゃんと考えていること、知性の証だと思います。このままじゃあだめだ、なんとかしなきゃと思っても、これまでの流れからどうしても脱け出せない。で、破局に陥ってしまう。こんな悲劇を繰り返さないためにはどうしたらいいのか？　秘訣はないのか？　あります。この本に書かれています。どうぞ、気になる方は読んでみてください。

では最後に、私が考える本書の特徴について。この本は「問い」の書です。問題提起の本だと思ってください。思い浮かぶまま、この本で出された問いをいくつかあげてみましょう。「近代システム（民主主義＋資本主義＋テクノロジーの三位一体）は、さまざまな矛盾や暴力を生みつつも、疾走を続ける。なぜか？」「近代システムではない、よりましな社会をどう構想すればよいのか？」「どうすれば、生活習慣病を克服できるのか？」「人間知性の特性とはなににか？」「3つ眼、4つ眼の生物がいないのはなぜか？」「なぜ、なにもないではなく、むしろなにかがあるのか？」「ユーモアとはなにか？」「どうすれば、人は戦争をしないようになるのか？」「近代の学問と、仏道・茶道・華道などの『道』の知見を接合できないか？」「なぜ大学は、つまんない場所になったのか？」

うーむ。びっくりですね。すべて、根源的な問いたちです（最後のつまんないやつを除いて）。1つひとつの問いが、研究者人生をかけるに値しそうです。この小さなマニフェストに、そんなんが詰まっていて、いずれの問いに対しても、回答が示されます。うーむ。びっくりですね。それってありえる？　本当？　なんて疑問をもたれた方は、どうぞ読んでみてください（本書の回答に、納得されるかどうか、その保証はまったくありません。問いの書であり、回答の書ではありません）。

おまけ。最後についてるおまけ。本書にはそれが2つあります。いわゆる「補論」というやつです。これは、私たちが「撤退学」をはじめる前に書かれたものですが、テーマが共通しているので、おまけとしてのせました。お得な感じが出ていたら幸いです。1つ目は「イエス論」で、2つ目は「知性論」です。前者はイエスの奇天烈から、後者はソクラテスの無敵からはじまり、両方とも「完全性の反復」を示して終わります。で、その結論は「撤退学宣言」のそれと一致します。いやいや、なにがなんだか、って感じですよね？　まあ、おまけですから、お手すきのときに、気軽に読んでみてください。では。

撤退学宣言

もくじ

I部

撤退学宣言

ホモ・サピエンスよ、その名に値するまであと一歩だ

はじめに

誰もがそれに不安を感じながら、しかし、誰もそれをテーマとして考察してはいない。もし、こうした状況があれば、知性はまずその不安を対象化し、対応すべき課題として提示する必要があろう。今日、人々がこぞって取り上げるテーマとは「持続可能性」である。地球環境・地域社会・財政・社会保障・働き場所等々、既存のシステム全般の「持続可能性」が問われ、持続のための処方箋が繰り返し繰り返し示されている。

逆に、誰もが不安を抱きながら、しかしテーマとして対象化されず、不安のまま放置されていること、すなわち、知性がいま取り組むべき隠された課題、それは次のような疑問に表れてはいないか。「20年以上にわたり処方箋が示され続けながら、危機が深まっている。問題はいつも先送りされているが、いつか本当にヤバいことにならないか?」「失われた10年は、失われた20年になり、30年となった。いつまで失われる予定?」「いま必要なのは持続や先送りの探求ではなく、困難であれ、『撤退』の探求ではないか?」

2019年、国連温暖化対策サミットにおけるグレタ・トゥーンベリの発言が話題となった。彼女は、世界の首脳が発する「空虚な言葉」に対し、挑戦的に叩きつけた。「お金のことや、永遠に続く経済成長というおとぎ話ばかり。よくそんなことが言えますね！」。彼女の発言が話題となったのは、内容ではなくそのスタイルによる。16歳の高校生は、皆が薄々感じていることを、ストレートに激しく叩きつけたのである。各国首脳たちは次々と処方箋を提示し、約束する。だがその効果は空しく、事態は悪化を続ける。にもかかわらず、似たような処方箋や約束が繰り返し示されていく。この惰性は、いったいなんだ？いつか、後戻り不可能な地点を越えはしないか？　いま考えるべきは、次の処方箋や、個々の処方箋が効かない理由ではない。「惰性」それ自体である。合理的判断としては、これまでのやり方を停止し、撤退すべき場面にもかかわらず、次の処方箋、次の処方箋へと人々を押し流す「惰性・慣性」のメカニズムを解明し、撤退の条件を探ること、これがいま知性に求められる課題ではなかろうか。

遠くから音が聞こえてくる。この先に大きな滝がありはしないか？　誰もが不安を感じ、しかしボートは進み続けている。こうした情景は繰り返されてきた。このままでは米英との全面戦争に至る。その先は破局以外ではない。それなのになぜ、この明白な現実に立ち止まることなく、真珠湾攻撃を帰結させたのか？　サイパン陥落後、必敗にもかかわらずなぜ戦争を継続し、主要都市を焦土化させたのか？　あの震災後の議論はどこに消え、なぜ原発が、地震列島に続々と再稼働されていくのか？　なぜ、秋冬にはコロナ第3波が来るとわかりながら、「特措法」や医療・保健体制を改めることなく、「医療崩壊」を帰結させたのか？[*1]　いずれも、撤退すべき場面で、「惰性・慣性の力」に流され続けた結果ではないか？　いま必要なのは、「持続可能性」への次の処方箋よりも、人々の思考を「持続」へと方向づけるメカニズムの解明にある。我々は、「惰性・慣性の力」を明らかにし、知性としての撤退を論じよう。カタストロフィー前の方向転換、これが「撤退学」の目標にほかならない。[*2]

「惰性・慣性の力」と対峙するために、我々はまず「神話の解釈」という観点を意識すべきではないか。持続不可能なシステム、そこから撤退すべきシステムを持続させようとするとき、政治家たちは「神話」を語りはじめるからである。「皇軍不敗」「原発安全」「百年安心」「経済成長」「プライマリーバランス黒字化目標年」「地方創生」「復興五輪」「異次元の少子化対策」、これらが神話的言説であることを皆薄々感じながら、しかし公にはこうした言説が流通し続けるのである。ここにメスを入れない限り、知性は慣性に負け続けるであろう。

以下我々は、【問題】【解決】【展望】の3章構成により、撤退学の意義を論じる。第1章【問題】では、まず近代システム全般の機能不全や逸脱が確認され、次いで、にもかかわらずこのシステムからの脱出が不可能なゆえんを解き明かす。このシステムには、強大な「惰性・慣性の力」が働いているからである。近代を批判しその「超克」を図るあまたの試みはなぜ失敗したのか、「惰性・慣性の力」の核心とはなんなのか、それを考察したのち、再び、近代システムからの脱出可能性という難問を提示したい。論理的に不可能と

＊1　ここで日本のコロナ対策の総体を評価する余裕はないが、第1波（2020年3月〜5月）から第3波襲来（20年12月）までの間に、「特措法」改正や医療・保健体制の構造転換をはじめ、大規模感染を前提とした具体的施策を講じてこなかった点だけは指摘しておこう。これは、目の前に滝があるとわかっていながら落下した、直近のサンプルではなかろうか。

＊2　我々が開始した「撤退学」という研究プロジェクトは、現代世界の枢要な課題、すなわち「持続可能性」に対して新たな視角を提供するものとなろう。出発点には、日本の現況に対する危機意識がある。課題先進国といわれる日本は、これまで人類が経験してこなかった諸問題に見舞われている。急速な人口減少、地方消滅、未曾有の財政赤字、環境激変——これら諸問題は、すべて「生活習慣病」に似ている。これまでの価値観や生のスタイルを根本的に改めない限り、いずれ破局的な事態が訪れるのではないか。多くの者はそう不安を抱きつつ、しかし、既存のスタイルを改めることができない。惰性・慣性の力から逃れられないのである。ならばいま探究すべきは、惰性・慣性からの「撤退可能性」ではないか。「持続可能性」を唱える人々も、現存するすべてを持続させたいわけではあるまい。大切な事柄を持続させるために、我々はまず撤退することを学ぶべきなのである。

思われてもなお、倫理的に探究すべき問いもある。第2章【解決】では、まず人間知性の特性が確認され、ついで知の構造転換が模索されよう。これにより、第1章で提示された難問が解かれるはずである（たぶん）。最後に、第3章【展望】では、第2章で明らかにされた「撤退的知性」が社会思想や政治哲学のレベルでもつ意義について展望したい。

1章

撤退学宣言 問題編

——近代システムとはなにか?

1　近代システムとはなにか？

我々が経験したCOVID‐19によるパンデミックは、過去のそれとは大きく異なっている。地球全体への拡大の速さがケタちがいであり、ワクチンの開発速度も分量もこれまでの常識を超えている。また、各国の感染状況・対応手段・その帰結について、同時進行的に、世界中の人々が大量の情報を確認し発信し論評し合うのである。これがグローバル化の進んだ今般のパンデミックの特性といえよう。*3 そこでは、なによりも「速度と量」が圧倒的である。*4 むろんこれは、驚くにはあたらない。グローバリゼーションとは、西洋近代システムの地球的拡大であり、西洋近代システムは「スピードとマスの論理」に突き動かされているからである。以下、この点について、政治における民主主義、*5 経済における資本主義、そして自然科学とテクノロジー、この3つの領域において確認しよう。その三位一体こそ、西洋近代システムの核心だからである。

いま世界中で、浄土教徒もムスリムも無神論者も、スマホをいじり、電子決済を行っている。なぜか？　もちろん便利だから。テクノロジーはその人間の思想信条にかかわりなく、万人にとって利便性がある。馬車よりトラックの方が、「ローコストかつスピーディで大量に」物を運ぶことができよう。それは「形式・手段」であり、「実質・目的」ではない。ゆえに、文化の違い価値観の違いを越えて、普遍的に妥当する。これに対し、「阿

＊3　2020年代の扉は、パンデミックによって開かれた。後世の史家は、我々が生きるこの時代について、こうした記述からはじめるであろう。では、COVID-19によってもたらされた人類のグローバルな災禍は、我々をどのような新世界へと導くことになるのか。巷間、論者たちはさまざまに近未来を語る。「分散型都市」「ヒューマントレーサビリティ」「ニューリアリティ」「職住融合」「コンタクトレステック」「フルーガルイノベーション」「グリーン・ニューディール」……なるほど、これらが新時代を切り拓くメガトレンドなのかもしれない。だが、こうした「ニューノーマル」を支える人々の思考が、生活世界全般のディープなデジタル化による経済成長や利便性や快適さの追求にあるとすれば、世界にはなんらの変化も新しさも到来することはない。パンデミックは、既存の潮流をただ加速させるのみである。しかし、その先に待つ未来を楽観視しうるだろうか。格差が拡大し、分断と憎悪が深まり、民主主義的寛容はないがしろにされ、地球環境は致命的なダメージを被りはしないか。人類はいま、根本的な態度変更を迫られている。我々はそれを、知の構造転換として提示したい。近代的な「分析的知性」から、「撤退的知性」へのターンである。

＊4　グローバリゼーションとは、人・モノ・金・情報の国境を越えた移動であるが、人とモノ（ワクチン）はサイバースペース上を光速で移動できない。ゆえにパンデミック下、観光産業は大打撃を受け、ワクチンはなかなか日本人には届かなかった。金は、それがgoldである限り、実在性に阻まれ光速移動が不可能となる

弥陀来迎」を信じるか「最後の審判」を信じるか、あるいは宗教を「集団神経症」と見なして否定するか、ここには、価値観の越えられない壁があるだろう。「実質・目的」が問題となるからである。ムスリムと無神論者が、贖罪と来世について合意できるとは思えない。だが、馬車よりトラック、郵便よりLINEが便利であることについては合意できよう。「実質的目的」がなんであれ、「形式的手段」は便利な方がよい。よって、浄土教徒もムスリムも無神論者も、日常の物品はAmazonで注文し、スマホで決済する。

ここにグローバリゼーションの秘密がある。グローバリゼーションとは、大航海時代から現在に至るまで、西洋近代システムの地球的拡大を意味しており、それを牽引し加速させているのは、資本主義とテクノロジーにほかならない。資本主義もテクノロジーも、「実質・目的」を問題にはしない。ゆえに、世界中に拡散する。なぜ、明治維新は成功し、日本は速やかな近代化を遂げたのか？　解は無数にあろうが、ここでは次のように答えよう。近代化は、「実質・目的」の変更ではなく、「形式・手段」の変更として受入れ可能であったから。神代から連綿と続く「本朝」は不変である。尊王の「和魂」はそのままに、蒸気機関車・紡績工場・製鉄所・ガス・電気等々、つまりは「洋才」を「形式・手段」として採用する。それが、国家による資本主義とテクノロジーの導入、つまり「殖産興業」と「富国強兵」ではなかったか。では、もしもペリーが、天皇ではなく大統領の命に従えと強制したらどうか？　これは、他国から、アイデンティティすなわち「実質・目的」を強要されることであり、植民地化を意味しよう。その場合、西洋化・近代化への抵抗（＝攘夷運動）は、収まらなかったにちがいない。

が、マネーである限り、人為的な記号すなわち情報にすぎず、光速で地球上をかけめぐり、カジノ資本主義の土壌を形成する。今後テクノロジーの進化は、間違いなく人やモノも情報化していくことであろう。

人間がそこで暮らしているこの世界は、意味の網の目で構成されている。このお茶熱い、うまい、まずい、すべてが意味である。そして、それらの意味は、結局のところ大脳の刺激によって構成された情報にすぎない。テクノロジーの進化は、「意味＝情報」を電脳空間で操作する方向へと進むのではないか。40～50年前のマンガには、自動車やバイクが空を自在に飛び回る未来が描かれていた。だが、テクノロジーはそうした方向には進化しない。物理的空間ではなく、VRにおいて、人々の欲望を叶えるのである。なぜか？　むろん、その方が圧倒的に便利だから。ドラえもんは愚かにも、「タケコプター」「グルメテーブルかけ」「きせかえカメラ」等々の道具を、1つひとつ集めている。だが、考えるがいい、ドラえもん。「もしもボックス」1つあれば、すべてがことたりるのではないか？　「私の望みがすべて、いい感じに、現実化する世界——これを「もしもボックス」でお願いすれば、論理上、あらゆる望みが叶うこととなる（「いい感じに」を傍点で強調したのは、マンガの常として、願望とは逆の、思いもよらないディストピアの出現が、こうしたストーリーのオチになりがちだからである。そうした可能性を封じること、それが「いい感じに」の意味である。もちろん、封じられることなど、結局のところ、あるまいが……）。

そして、世界の意味が大脳の刺激に還元可能ならば、物理空間とVRを区別すべき本質的な理由はない。

この維新の例からなにがわかるか。以下確認するように、近代システムの核心である民主主義・資本主義・テクノロジーは、いずれも「分析的知性」の産物であり、「実質・目的」ではなく、「形式・手段」の合理性に依拠している。しかし民主主義と、資本主義&テクノロジーとの間には明確な差異が認められるのである。「よりローコストかつよりスピーディでより大量に」、このあくなき利便性の追求、利便性の更新こそがテクノロジーの目的である。そしてこの更新は、「利潤の増殖」という資本主義の目的達成に貢献する。「利便と利潤の最大化」、このドライヴが両者の目的であり、この目的はいつでも前提として与えられ、疑われることがない。思考や批判の対象となるのは、最大化運動における合理性だけであり、それは手段の最適化にすぎないのである。[*6]

これに対し、民主主義はどうだろうか。以下、まずは科学・経済・政治を貫く近代特有の思考様式と「形式・手段」における合理性について確認する。次いで政治の存在理由が、にもかかわらず「実質・目的」の探究であることを論じたい。

前近代において、真理は聖典や勅令のうちに書き込まれていた。全員を拘束する「正しさ」は、人々を超えたその上に存在し、人々に下賜されたのである。「はじめに言葉ありき」、これが前近代の特性といえよう。人々が参照すべき「正しさ」は、つねにすでに、神や王の言葉として与えられているのである。これに対し近代は、神を殺し、王の首を切った。

近代システムでは、「正しさ」は人々の間に存在し、競争によって導出される。たとえば、テクノロジーを支える近代科学において、真理が直接・無媒介に与えられることはない。明確なはじまり、絶対の真理が前提にされることなく、スタートはただ仮説たちの自由競

「もしもボックス」が作るパラレルワールドも、この世界と完全に等価なのである（むろん、「もしもボックス」が作る世界を、ＶＲと同一視することはできないが。しかし、逆にいえば、「もしもボックス」が作る世界をＶＲと同一視するならば、この万能の道具でさえ、恐ろしいことに現実化可能かもしれない）。

物理的リアルとＶＲとの関係性、これが今般のパンデミックで問われた課題であり、同時に、テクノロジーの将来が突きつけてくる問題である。たとえば、コロナ前の人間が、コロナ禍の街に突如タイムスリップしてきたらどうだろうか。はじめは違いに全く気がつかない。だが、しだいしだいに違和感を覚え、ついには驚くだろう。「全員がマスクをしている！」この光景は、ハリウッドＳＦが繰り返し描いたテーマをチープに反復している。生き延びた人類はみな、バラバラに地下基地に隠れ（ステイホーム）、電脳空間で交信する。リアルな物理空間は危険地帯であり、特別な装置（マスク）なしには歩くことすらままならない。ではこの世界で、身体はどうなるのか？　身体の「濃厚接触」にともなう歓びはどうなるのか？　ありきたりとはいえ、このテーマは、「リアル＝身体＝唯一性」と「ＶＲ＝脳の刺激＝無限コピー可能」との対比を浮上させる。それらの関係をどう考えるべきか、これは確かに今日的な課題ではあるだろう。

＊5　ここで取りあげる民主主義は、いずれも近代的な「自由民主主義」を意味している。

＊6　もちろん、現在の企業にとって社会貢献も大切な使命なのかもしれず、エゴイスティックな利潤追求ではなく、ＣＳＲ（企業の社会的責任）を高らかにうたう企業が続出している。しかし実際のところ、ＣＳＲの

争にすぎない。これらが、実験・観察による合理的検証によってふるいにかけられ、勝ち残った仮説が暫定的に——つまり反証可能性に開かれつつ——真理として君臨するのである。誤謬たちを媒介に、真理は試行錯誤によって明かされていく。ゆえに、科学者が自分の学説を「絶対に正しい」と信じることは、どこか自己矛盾的となる。「信」をおくべきなのは、オブジェクトレベルでの「学説」ではなく、メタレベルでの科学的な「プロセス」に対してであろう。《仮説の提示→仮説の自由競争（実証実験）→暫定的真理》これが近代科学というもののあり方である。

では、科学に基礎づけられたテクノロジーはどうか。先に見たように、それは目的に奉仕する手段の領域と位置づけられる。ゆえに、それ自体として「良質」なテクノロジーは存在しない。狭いケモノ道を行く場合なら、トラックより馬の方が役立つのである。テクノロジーの価値は、目的との関係性に規定され、汎用性（奉仕可能な目的の数）・コスト・速度・分量によって計られる。手段の領域では、「量」が「質」を規定するといえよう。たとえば、近年ちょくちょく登場するスーパーコンピューター「富岳」について、理化学研究所計算科学研究センター長は語っていた。「圧倒的に性能が高く（速度・量）、圧倒的に消費電力が低く、そして汎用性がある」。この最新テクノロジーは、富士山の高さ（能力）と裾野の広がり（コスト・汎用性）を兼ね備えたと称えられるのである。

以上、科学技術（科学とテクノロジー）について確認した。そこでは、「自由競争→真理」「プロセスへの信」「真理の暫定性」「量が質を規定」といった諸特性が認められる。以下記述するように、これらの特性は資本主義・民主主義にも認めることができよう。

では、資本主義について。テクノロジーと同じく、古代ギリシャ以来経済は、基本的に手段の領域と位置づけられてきた。確かに、「善」や「正義」がそれ自体として目的となりうるのに対し、「財」はそれを使ってなにをなすかが重要であり、「財の増殖」そのものを目的とするのは、ありがちとはいえ倒錯というほかはない。また、「科学者コミュニティにおける仮説の自由競争」に信をおくのが科学とすれば、資本主義は、「市場における商品・

前景化でブランドイメージを高めないと、利潤追求の妨げになるからが、彼らの本音だったりはしないか？確かに、個人的に善人で慈善活動に邁進する資本家も存在してはいよう。だが、マルクスがいうように、資本主義の構造力学は、否応なく資本家と労働者を対立関係におく。ここでは、個人の善意が問題解決に寄与することはない。あるいはまた、そうした善意そのものが、資本主義がもたらすコンプレックスの効果にすぎないと、心的メカニズムにメスを入れれば解明可能かもしれない。

いずれにしても、資本主義の基本構成が変わらない以上、個々の資本家・企業がどのような社会的責務を果たそうと、資本の運動は、構造力学的に富の偏在をもたらす。現今の金融資本主義が、1％の人に99％の富を集中させていくのも偶然ではあるまい。果たしてこうした状況を、「経世済民」と呼べるであろうか。

価格の自由競争」に信をおくシステムである。すなわち、「マーケットの自由競争を勝ち抜いたもの＝大量に売れたもの」が暫定的に「良い商品」となり、結果、全員を拘束する「スタンダード」が形成される。たとえば、Windows95とは何であったか。それまで日本語ワープロソフトには、良質な商品が複数存在していた。しかし、Windows95が市場をロックオンしてからは、使い勝手の悪いWordがスタンダード化され、ファイル交換上の利便性から、全員がそれを使う破目に陥ったのである。交換価値（量）は使用価値（質）を凌駕する。

ともあれ、科学技術と同様、資本主義にもまた「自由競争→スタンダード」「プロセスへの信（市場メカニズム＝神の見えざる手への信頼）」「スタンダードの暫定性」「量が質を規定」といった諸特性を認めうる。以下最後に、民主主義について確認しよう。

ヴォルテールの有名な言葉がある。「君のその意見には反対だが、君がその意見を言う権利は命がけで守ろう」。彼はなにをいっているのか？　民主的立法行為の精髄を語っている。「正しさ」は、もはや聖典や勅令に刻まれてはいない。ならば、まずは全員が、それぞれに意見表明するほかはない。そして議論を尽くし、多数決でルール決定する。《全員の意見表明→熟議→多数決→ルール》これ以外に、やり方があるか？　王・神官・貴族・平民・非人たちから成る階層的秩序は解体された。全員がindividualへと還元されたならば、上記プロセスを経た意見を「正しい」と見なすほかはあるまい。ここでいわゆる「善（good）に対する正（right）の優位」という考えを援用しよう。善（good）は「実質・目的」を表す。ゆえに、各人、各共同体の価値観にしたがって万別となる。ならば、プロセス的な正しさ（right）を優先させ、選挙・議会において、諸々の善たちを自由競争させなければならない。勝ち残った善こそが、暫定的に「全員にとっての善＝法」として、人々を従わせるのである。これが rule of law の精髄といえよう。

ここでもまた、「自由競争→法」「プロセスへの信」「法の暫定性」「量が質を規定」という諸特性を見いだしうる。というのも、最後が多数決である以上、「質」を決定するのは、「票の多寡」という「量」だからである。教養ある市民の熟慮された1票も、候補者が美人すぎるから入れた1票も、同じ「1」としてカウントされざるをえない。それが民主主義なのである。

以上、科学技術・資本主義・民主主義それぞれが、「自由競争パラダイム」に貫かれていることを確認した。前近代が「はじめに言葉ありき」という世界であるのに対し、近代には明確な始点・準拠点は存在しない。「はじめなし、自由競争ありき」、これが近代である。ゆえに、「質」を決定するのは、数値化可能な「量」とならざるをえない。票数・利潤・便益、そのシンプルな数値が、競争の勝者を、すなわち政治・経済・技術における「質」

を決定するのである。神は死に、「質」を保証する始点・準拠点は失われた。これはその必然的な帰結である。

さて、ではなにが神を殺したのか。神と王が頂点に立つ階層的秩序（アリストテレス的宇宙や身分制社会等）にメスを入れ、解体し、諸要素の数量化可能な関係性から対象を把捉するのが、「分析的知性」である。これが神を殺したといってよい。近代化という時代の転換期、世界のあらゆる対象は、知性によって「分析」されることになる。[*7] すなわち、「それ以上分けることができないもの（atom/individual）」「それ以上小さくできないもの（dot）」にまで対象は分解され、次にそれらatomやdot同士の機能的な関係性が、数値・数式で捉えられる。これにより、対象の把捉・予測・制御が果たされるのである。知は力なり。対象を分解・制御する力なり。

こうした「分析的知性」は、近代化のなかで、人間のあらゆる営みに革命的転換をもたらした。音楽の五線譜、絵画の線遠近法、数学の解析幾何学、物理学の機械論的世界観、医学の解剖、政治思想の社会契約説、そして哲学のcogito、これらはすべて、同じ「知」の産物にほかならない。対象にメスを入れ、夾雑物を削ぎ、dotにまで解体する。世界は、dotの集積としての「均質な時空＝座標系」となり、対象は、そこでの運動や連なりとして機能的・数量的に捉えられる。[*8] そして知は、対象世界に位置づけられない透明な主体となり、対象を把捉・予測・制御するのである。音楽は音符（dot）の連動に還元され、タブローは均質な空間と化した。芸術家はその外部に立ち、客体としての美を構成する。同様に、自然からも人体からも国家からも神秘は失われ、それらは操作可能な客体へと転ずることとなる。もはや禁忌への怖れはない。物理学はatomに、医学は人体に、政治思想は国家にメスを入れ、結果、人類は巨大なエネルギーを引き出し、長寿を手にし、市民革命を実現した。これが、客体（自然・人体・国家）をコントロールする分析的知性の力である。

ゆえに、神は死んだ。すべてがatomやdotに解体され、均質化された世界が現れるとき、「上／下」「天／地」「神／人」「王／民」、こうした相違を表す境界線「／」は、絶

＊7　ここでは、ルネサンス期を含めて近代化の過程と捉える。
＊8　近代では、分析的知性により、あらゆる領域で、「質」が「量」に転化される。したがって、所与の実体的な中心（＝絶対的な質）は存在しない。「世界の中心たるローマ」は、神の死とともに消え去るほかはない。均質な空間、座標系において、「中心は遍在する」からである。どこでもよい。中心は、暫定的・操作的に設定されるのである。これは、経度ゼロ度（本初子午線）の位置によって、それがロンドンを通過することによって、赤裸々に表現されている。7つの海を支配する大英帝国、そのパースペクティヴが、操作的に普遍化されたのである。ちなみに、江戸末期には京都、明治初期には東京を通るラインが、日本の「本初子午線」であったらしい。そこはかとなくおかしく、またもの悲しい。

対でも所与でも質的差異でもなく、単なる「数量的相違」を便宜的に表した指標にすぎなくなろう。「均質」とは、質が均《なら》され尺度が単一化されること、つまりは1つのメジャーで測れる「数量化された場」を意味するからである。むろん、神はここで生きることができない。単なる「数量的上位者」が、人に畏怖を与え、超越神として崇拝されることはなかろう。古来、人と神を分かつ差異とは、「死すべきもの」であるか否か、この質的な切断にあった。ならば、人と神の差異が、単なる「数量的相違」に転じるとは、どのような事態を意味するのか。それはたとえば、「長生きの神」ではなかろうか。神様は、とてつもなく長生きです。でも、いつかは死んでしまいます。そろそろかもしれません。とてつもない昔から、生きていたから。ああ誰か、神様をお救いください！　こうした事態は、少なくとも一神教の神としては、矛盾以外ではあるまい。「長生きの神」とは、すでに「屍の神」にすぎないのである。[*9]

話を戻そう。近代諸科学ならびに資本主義と同じく、民主主義もまた、分析的知性の産物である。だが先に触れたように、ここでは、民主主義と資本主義＆テクノロジーとの差異にも注目しよう。3者とも「競争パラダイム」に貫かれている。しかし、後2者の追求する「財」や「技術」があくまでも手段であるのに対し、民主主義は目的の領域の守護者だと位置づけられる。ヴォルテールは何に命をかけていたのか？　個別の意見にではなく、形式的プロセスに対してであった。民主的プロセスは単なる手段ではなく、人権擁護という目的の具体化だからである。人間の尊厳を守り、他者を尊重すること、人権思想は語るに易く、行うに難し。他者を認めるとは、自分の狭さを知ることだからである。よって、民主的熟議のプロセスは、人権擁護にとって不可欠の基盤となろう。「君のその意見には反対だが、君がその意見を言う権利は命がけで守ろう」。なぜ、そうするのか。おのれの狭さを疑うからである。君の意見は、サルが言いそうなサル意見にしか思えない。いや、待てよ、ひょっとすると、サルはオレの方か？　うきゃ？　この疑いを原理的に排除できない以上、民主主義は、全員の意見表明から、つまりは他者たちの声を聴くことから始まるのである。ヴォルテールはメタレベルで戦っていた。オブジェクトレベルでの意見の対立は、よりよい「正しさ」にとって必要な過程である。真に戦うべきは、民主的なプロセスの破壊者、基盤の侵害者（たとえば「選挙」や「議会」の破壊者）であろう。プロセスは単なる制度ではなく、そこには他者たちの声が、人間の尊厳が肉化されているのである。分析的知性は、人々をindividualへと還元した。しかし、individualはゲーム上の1プレ

＊9　よって、近代化の進行とともに、神と人との「質的差異」「切断」を強烈に訴える神学（キルケゴールや危機神学）が現れるのも必然といえよう。

イヤーではなく、それぞれが独自の声（「声なき声」を含めて）を発する、価値の源泉といえよう。民主的プロセスは、価値や目的の領域と不可分である。

以上、民主主義・資本主義・テクノロジーの同一性と差異について論じた。この三位一体が、近代システムの核心であるが、以下節を改めて、今度はシステムの暴走を確認したい。それは、「手段の自己目的化」として現れている。

2　システムの暴走と「近代の超克」

近代的システムがうまく機能するためにはなにが必要か？　いいかえれば、「自由競争」というスタートから、暫定的ではあれ「正しさ」というゴールに至るためにはなにが必要なのか？　民主主義の場合、「最善の法」という「質」を生みだす方法として、「議会での熟議→多数決」というプロセスが提示される。だが、多数決は所詮「量」による決定であり、それが想定どおり良質な法を生みだすためには、政治家たちが地元や業界の利益ではなく、公益を考えて議論を尽くし、その後諸々の圧力に左右されず、主体的に投票しなければならない。自律した行為者による理性の公共的使用、これが民主的プロセスを支える基軸である。

資本主義や科学技術にも同じことがいえよう。市場は仁愛（benevolence）ではなく、自愛（self-love）の集積であり、かつ公益を生むとアダム・スミスはいった。「私的利益→市場メカニズム→公益」という経済プロセスを支えるのは「神の見えざる手」であり、また科学技術において、「私的仮説→科学者コミュニティ→真理」というプロセスを支えるのは、「仮説の合理的検証」である。いずれにせよ、近代システムが十全に機能するには、自由競争が「神」や「理性」によって制御され、公共化・公益化が図られなければならない。絶対の典拠からはじめない以上、近代において「正しさ」がその名に値するには、導出過程における「公共化原理（＝神・理性）」が必要なのである。これを欠くとき、近代システムの均衡は崩れざるをえない。議会は「数を獲得して支配する場」と化し、市場は拡大不均衡を加速させる。ゆえにロックは、その寛容論から無神論を除外し、ヴォルテールは「もし神が存在しなければ、創らなければならない」と論じた。システムが機能するためには、各自の内面に「神＝公共化原理」が埋め込まれる必要がある。

ならば、近代システムは、行為者たちに《二重性》を要請しているのだといえよう。自己の立場を生きると同時に、自己の立場から撤退し、利害を離れた「公平な観察者（impartial spectator）」でもあれと迫るのである。オブジェクトレベルで自己を主張すると同時に、メタレベルで理性的に俯瞰すること、自己と他者を同格のプレイヤーと捉える公共的視角、この《二重性》が近代システムを支えるといってよい。科学の場合、これは現在でも一定程度保たれているといえようか。科学的真理を自己都合でねじ曲げることは難しい。データの改ざん等、しばしば利己的な研究不正が問題になるとしても、真理の客観性は、科学者たちに「公平な観察者」であることを強いるのである。たとえば独裁者が、恣意的にねじ曲げた法を強制するのは簡単だが、「2×2＝5」を強制するのは難しい。恣意性に抵抗するこの力が、科学的真理の客観性である。だが、テクノロジーとなるとすでに怪しい。政治や経済の都合で、安全性や倫理性の客観的基準が揺らいでいき、十分な検証や規制がなされないまま技術のなし崩し的運用が進む事例が後を絶たない。科学者の倫理的責任が問われるゆえんである。

政治・経済に目を転じれば、事態の深刻度は格段に高まろう。真理・真実（truth）ではなく「post truth」や「fake」が時代を象徴する言葉となる現代、なんでもありのこの驚くべき時代において、「自由競争パラダイム」が、暫定的であれ「正しさ」（truth）を生みだすはずはない。勝ちさえすればいい。これが現代の時代精神ではないか。「公平な観察者」への撤退という知的契機は失われ、政治家は自分ファーストを隠さず、官僚は偽データに依拠し、企業はタックスヘイブンを追求する。なりふり構わない「票獲得ゲーム」「利潤獲得ゲーム」が、政治と経済の実情ではなかろうか。これにテクノロジーの「利便性獲得ゲーム」を加えよう。すると「手段の自己目的化」という倒錯がよく見えてくる。スピード・マス・汎用性・コスト、これらはすべて「量」であり、目的ではなく、手段の領域にある。だが、人々は加速するテクノロジーに置き去りにされないため、ただそのために、リスキリングへと急き立てられるのである。主客の転倒、これは日々の風景に現れる。電車に乗った瞬間、みなそそくさとスマホをいじりはじめ、お気に入りサイトが発する情報に従い、食事を選択し、音楽を聴き、政治的意見を固めていく。道具により、人々の行動が規定され支配される転倒については、今日誰もが批判しよう。しかし、状況は悪化するばかりである。なぜ、こうなる？　社会科学系の大学教員であれば、近代社会における「手段の自己目的化」という病理は、常識に属することであろう。で、彼らはなにをしている？競争的資金の獲得・執行にあけくれ、それが自己目的化し、書類づくりに追われている。わかっちゃいるけど、止められない、止まらない。この惰性・慣性はなんだ？[＊10]

＊10　結果、我々はいたるところで急き立てられている。孫子は、戦いの本質を速度に見いだした。「自由競争パラダイム」が支配する社会では、スピードが勝敗を決するのである。よって、学生も教員もビジネスパーソンも子どもたちも、みながみな、急き立てられることとなる。ある者は受験に、ある者は就活に、ある者は

それを語るには、少なくとも19世紀・20世紀の２００年を語らねばならず、我々にその余裕はない。ここではただ、近代システムが機能するためには、単に「分析的知性」だけではなく、「撤退的知性」も必要だったことを指摘するにとどめよう。自分の場所にあるとともに、そこからステップバックし「公共の視角」をもつこと、「神＝公共化原理」の必要性である。しかし時代は、ニーチェのいう「神は死んだ、遺言なし」という事態へと進んでいく。近代システムが想定する自律的・理性的行為者は夢想にすぎず、現実は付和雷同する大衆の世となったのである。この１５０年の偉大な思索家はみな、この状況を批判的に語っている。

では、我々はなにをすべきか？　近代システムの暴走にどう対処すべきなのか？　この１５０年は、システムのグローバル化が加速した時代であり、同時に、近代社会のラディカルな克服が試みられた時代である。とりわけその試みは、共産主義・ファシズム・原理主義として現れた。マルキストは、「手段の自己目的化」という倒錯を精緻に分析し、逆立ちした近代社会の再転倒を企て、ファシストは、議会の民主的プロセスを否定し、カリスマ的指導者と大衆との熱狂的な結合を演出したのである。そして原理主義過激派は、競争の結果生まれる「暫定的正しさ」に我慢がならず、近代システムに対し、神の絶対性にもとづくテロルの一撃を振り下ろした。

で、どうなった？　システムは加速を続け、「近代の超克」という試みは、すべて敗れ去った。なぜか？　それぞれの敗北について詳述する時間も紙幅もない。シンプルに、以下の点だけ指摘しておこう。マルクスのヴィジョンがどうであれ、現実のマルクス主義はファシズムと同じく、一党独裁を選択し、議会と市場における自由競争を否定して、党の意思にもとづく政治・経済を構築した。すなわち、「正しいこと」が、カリスマ的指導者や党中央委員会の声明に、つねにすでに書き込まれている世界（＝前近代）を選択したのである。

競争的資金の獲得に、ある者はノルマ達成に。論文は学位のため、学位は就職のため、就職は金銭のため、金銭は豊かさのため、そのためには昇進、そのためには数値目標クリア、そのためには…（A for B for C for D fo…）我々はつねに、その次、その次、その次、その次へと急き立てられていく。なぜ「現在」を生きるのではなく、「未来」を生きようとしているのか？　なぜ、24時間ネットに接続し、アップデートに追われつつ、光速で情報交換しなければならないのか？　我々は実は、暴力にさらされているのではないか？

なるほど日常生活において、この一杯のお茶と一期一会に遭遇することは至難の技である。何ものかの手段に堕せず、味わうために味わうこと（A for A）、ただ達人のみが「現在」を汲みつくすすべを知るのかもしれない。ならば、我々は、達人からも学ぶべきではなかろうか。「急き立て」という暴力からの撤退可能性について、また「現在」を生きるすべについて、我々は達人に教えを請うべきである。

後述するように、撤退学は、仏道・茶道・華道・武道など、「道」からの学びを根本にすえている。アカデミズムと「道」の融合、これもまた、新しい知の転換と捉えることができるのではないか。

原理主義（fundamentalism）はいうもさらなり。名称が明かすように、それは、聖典の一字一句を揺るぎない基盤（fundamentals）と崇める世界を意志したのである。近代の超克をラディカルに志向するさまざまな運動は、期せずして post-modern ではなく、pre-modern（「はじめに言葉ありき」）へと回帰したといえよう。ここに、敗北の根源を見ることができないか。

ともあれ、挑戦者はすべて退けられた。近代システムは加速を続け、主客の転倒した世界は拡大と深化を止める気配はない。選挙、つまり民主的プロセスの基盤、個の尊厳の具体化であり不可侵である基盤、それが、民主主義のリーダーを誇るアメリカの大統領選挙で蔑ろにされ、連邦議会が暴力に侵されることとなった。ヨーロッパでもポピュリズムが跋扈し、中国・ロシアは権威主義を強化するばかりである。日本でもまた、選挙のたびに、有権者の関心第1位は景気対策となっている。政治が経済の従属変数である限り、資本主義（手段の追求）の暴走を、民主主義（目的の追求）が制御するのは不可能であろう。これが今日の世界である。ゆえに、1%の人間に99%の富が集中する事態が、民主国家の金融センターにおいて出現する。「なんだそりゃ？　民主国家なら、99%の人間の意思が国家の意思となり、こんな面妖な格差は解消されるはずだ！」この当然の怒りが、皮肉にもドナルド・トランプを大統領に押し上げる力となり、結果、ますます面妖な分断と格差と怨嗟が、世界に蔓延していくのである。
どうしたらいい？　どうやったら、この流れから脱け出せる？

3 「惰性・慣性の力」からは脱出不可能？

この150年、近代社会の超克を図る理論と実践は枚挙にいとまがない。にもかかわらず、システムが疾走を続けるのはなぜか？　資本主義とテクノロジーの結合が、かくも強力なのはどうしてなのか？　我々は、この問いに対して、以下2点を仮説的に提示したい。①資本主義&テクノロジーは、危機を養分とする乗り越えの運動だから。②危機を養分とする乗り越えの運動は、人間の快楽に適合的なゲームだから。では、これらについて確認しよう。

近代システムが「競争パラダイム」に貫かれているならば、平時より有事、安定より危機が競争をあおり、システムを活性化させるのは論をまたない。政治・経済・テクノロジーの暴走は、戦争・恐慌・環境破壊を繰り返してきた。しかし、成熟社会や定常経済、slow life や LOHAS が幾度唱えられても、人々がシステムからの撤退を選択することはなかった。その黎明期から今日にいたるまで、近代はつねに近代批判を内在させつつ疾走を続けたのである。

たとえば、環境破壊はこれまでの生のスタイルからの転換を迫る。しかしそうした状況を、資本主義&テクノロジーは、イノベーションのチャンスと捉え、システムのバージョンアップで乗り越えていく。決して撤退はしない。むしろ嬉々として、次のステージへのレバレッジに利用するのである。いま、「脱炭素社会」という言葉が躍っている。この流行語からは、これまでの生のスタイルへの真摯な反省や、近代システムからの撤退意志を感じとることはできない（表層的反省は巷にあふれているが）。化石燃料から自然エネルギーへ、ガソリン車から電気・水素自動車へ、どの国・どの企業がいち早くステージを更新し、利潤獲得ゲームに勝利するか、「グリーン・ニューディール」は「グリーン・バブル」の様相を呈している。すべからく近代人は、システムからの撤退ではなく、加速において危機の乗り越えを図るであろう。そして、更新されたテクノロジーは、次のステージで、必ずや新しい危機を生み出すこととなる。ゆえに、資本は眠ることができない。嬉々として、新しい危機に挑み続けるのである。[*11]

我々は、ここに資本主義&テクノロジーの魅力を看取すべきか。このシステムは『週刊少年ジャンプ』やRPGに酷似する。ステージを更新するたびに、パワーアップした新たな敵が登場する。さまざまな新兵器やイノベーションを駆使し、ライバルたちと競争・協働しつつ、知恵と勇気と術と絆をつかって、敵を倒しステージを乗り越えていく。これが面白くないはずがない。資本主義&テクノロジーは、人間の快楽に適合的なゲームといえよう。ただしラスボスは存在しない。したがって、正しくエンドレスに、ゲームからの脱出は不可能なのである。我々はようやく、「惰性・慣性の力」の核心に迫りつつある。「競争パラダイム」に貫かれた近代システムは、社会活動の総体をゲーム化する。政治は

＊11　同様の事例は、さまざまな場面に現れよう。たとえば「砂漠化」や「食糧難」という課題がある。これにどう対応するか。これまでの「生のスタイル」を続けるとヤバいから、市場拡大による持続不可能な土地利用から撤退しましょう、とは全然ならない。資本主義は、「テクノロジーの加速」によって課題克服を図るだろう。砂漠でも育つ植物をバイオで開発、フードテックで人工食糧大増産、こんな風に「乗り越えの運動」が続き、資本はガンガン増殖するのである。いやはや。いやはや。いやはや。近代システムでは「撤退的知性」が捨てられ、「分析的知性」へと一元化されていった。こうした事態は、その帰結であろう。分析的知性は、基本マッチョなのである。目の前に課題があるとき、それを細かい要因に分解し、解決策を見いだし克服を図る。実に、力強く前向きで頼もしい！　今後も資本主義&テクノロジーは加速を続け、地球もまた悲鳴をあげ痙攣を続ける。で、その悲鳴・危機こそがイノベーション・チャンスとなり、乗り越えの運動にドライヴがかかっていくのだろう。じゃあ、どっちの方が速い？　地球の壊れる速度か、テクノロジーの加速か？　あと100年くらい生きて、この競争の結末を見たい。なかなかの見ものではないか？

「票獲得ゲーム」、経済は「利潤獲得ゲーム」、教育は「偏差値獲得ゲーム」の場となった。人生の一大事、職業や配偶者の選択は、アプリを駆使する「内定獲得ゲーム」「配偶者獲得ゲーム」へと変わったのである。では、ゲームという事象の特性はなにか。1つは、ゲーム内部において、プレイの目的が所与で自明な点に求められる。「ゲームの勝利」以外、目的は存在しようがない。プレイヤーは知力を駆使し、獲物をゲットする。だがその思考は、ゲーム内部で、オブジェクトレベルの課題（獲物のゲット）にロックオンされており、決して、ゲームそのものを疑うことはない。ゲームを疑う視点、「このゲームつまらん、やめた」という心の声、「ゲームやめ！　宿題！」という母の声、つまり「ゲームキャラ＝プレイヤー」にとって他性の声は、ゲームの外から、リアルな人生からしか届いてはこないのである。

　であれば、近代システムがもつ「惰性・慣性の力」の正体も明らかとなろう。システムが、社会活動の総体をゲーム化していくとき、プレイヤーにとって、各種ゲームの網の目から脱け出し、外部に立つことは不可能のように思える。というのも、このゲームは実人生であり、外がないから。他者たちが、各種ゲーム内の「キャラ＝他のプレイヤー」となっている限り、主人公をゲームの外部へと覚醒させる声、他性の声は存在しようがあるまい。このエンドレスゲームのどこに出口が見いだせるのか？　止められない、止まらない「惰性・慣性の力」の正体とは、他性の不在にほかならない。

思えば、大日本帝国もまた、B29という他性なくして「惰性・慣性の力」から脱け出すことはできなかった。だがそれはむろん、「カタストロフィー前の方向転換」ではない。我々はいま、カタストロフィー以外の他性を、どこに見いだせばよいのか？　どこから、覚醒の声が聞こえてくるのか？

　では、【問題編】の最後に、以下の問いを提出しよう。

4　【問題】

第1問：面白さについて

近代システム以上に、人間の快楽に適合的なやり方は存在するか？　もっと面白い道はありうるのか？

「競争パラダイム」に貫かれた近代は、社会活動の総体をゲーム化し、その結果、分断・

格差・環境破壊など深刻な課題を生み出してきた。しかし、その解決も近代システムで行い、更なる深刻な課題を生むほかはないのか。確かに、近代の歪みがもたらした課題の解決にあたり、王道とは、歪みを正して当初の近代的理念を実現させることであろう。つまり、自律的・理性的な市民を育成し、「啓蒙未完のプロジェクト」を完遂させるのである。だが、このやり方で大丈夫か？　あんまり真面目すぎないだろうか？　「カントが唱えた如く、自律的行為者による理性の公共的使用を為せ！」、え？　なんですって？　いま、なんておっしゃったの？　全然わかりません。「啓蒙のプロジェクト」を唱えても、多くの人は、聞き返すばかりだろう。大衆にとって、『週刊少年ジャンプ』やRPG以上に魅力的なわけがない。啓蒙のプロジェクトは、エンタメ的面白みを欠く限り、未完のまま終わるほかあるまい。

これまでの近代批判は、問題の立て方を間違っていた。問題は、より正しい道の追求ではなく、より楽しい道の追求ではなかろうか。だが、そのような道は存在するのか？

第2問：リアルについて

人生＝ゲームからの脱出路、リアルライフからの撤退可能性をどこに見いだした

らよいのか？　いや、撤退してもよいのか、人生から？

以上、【問題】を２つ提出した。両者ともに、解決不可能な難問と思われよう。これまで多くの思想家や実践家が近代を超える道を探り、そして挫折したのである。では我々は、問題解決の糸口をどこに見いだしたらよいのか？　近代システムの裂け目はいたるところに認められる。ならばそうした裂け目のどこかから、システムの外へと出られるのか？　カタストロフィーが訪れる前に。

2章

撤退学宣言 解決編

——なぜ生物は3つ以上の眼を持たなかったのか？

チャールズ・ダーウィンは憂鬱であった。『種の起源』最終第6版（1872年）で、彼はなおこう言っている。「カンブリア紀の地層から突如として化石が見つかるようになることについては、現時点ではまだ説明がついていない。……この点はここで論じた進化論の考え方に対する有力な反証となりうる」。ダーウィンは自説を論証する有力な証拠を収集・整理していたが、しかし5億4000万年前の地層から、今日見られる主要な動物群の化石が堰を切ったように噴出する事態が彼を悩ませていた。それ以前の地層からは、動物群の祖先が存在した化石証拠を見いだせなかったからである。ではカンブリア紀に、多種多様な生物が一気に創造されたのか？　神によって？　まさか？　このいわゆる「ダーウィンのジレンマ」に対し、彼自身は進化論にそくした答えを提出することができなかった。なんらかの要因で、単に化石が残らなかっただけというのが彼の煮え切らない回答である。では、今日「カンブリア爆発」と呼ばれるこの事態はいかにして発生したのか。地史学的には「瞬間」といいうる短期間に、なぜ生物たちは爆発的な進化を遂げたのか。

2003年アンドリュー・パーカーは1つの有力な仮説を提起した。「光スイッチ説」である。彼は、「眼の誕生」こそが生物たちに爆発的進化をもたらした要因だと論じる。カンブリア紀の初期、突如眼をもつ生物が出現した。明確な像を結ぶ視覚が誕生したことで、カンブリア紀の海は一変する。生物たちは、猛然と追いかけっこをはじめたのである。追いかけ合い食い合い、淘汰圧が急上昇する。眼を獲得した三葉虫が獲物をロックオンし貪るならば、被食者は食われまいと殻や棘をもち、自らも視覚を進化させていく。これに対抗し捕食者も、更なる精度の眼と機動性を高めるひれを獲得する。こうした軍拡競争が、生物たちに爆発的な進化をもたらしたらしい。長い助走期間を経て、眼の誕生とそれに付随する大競争が、カンブリア紀に進化のテイクオフを実現させたというのである。

ではなぜ生物は、3つ以上の眼をもたなかったのか？　図書館には図書が、水族館には水族が集められている。知見の探究には前者がふさわしく、奇怪な生き物との出会いには後者がふさわしい。自然は、あらゆる現代アーティストを超えてアヴァンギャルドである。そう嘆じざるをえない奇天烈な容姿、頓狂な動き、鮮烈な色彩の作品たちが、シュルシュル・キュラキュラ生き物としてうごめいている。しかし、それらがもっている眼は1対2つなのである。ニュルンとした柄の先にあるなど、斬新な形態の眼たちは存在していても、数は2つに限られる。これはなぜか？　生物の形態が適者生存と連動した合目的性をもつならば、なぜ後ろや下を見る眼が存在しない？　海中生物において、前後上下それぞれを担当する4つの視覚があれば、捕獲においても逃走においても圧倒的に有利ではないか？視覚は生存競争を勝ち抜く最大の武器ではなかったか？　だが、水族館をくまなく歩いても、そこに集められた高等生物において、3つ眼4つ眼と出会うことはない。これはなぜか？[*12]

思うにこの問いのうちには、ホモ・サピエンスがその名に値する知的生命体へと脱皮する鍵が隠されている。眼が2つしかないということは、生物が認知する視覚像がただ1つであることを意味する。1対2つの眼は、遠近・広角のために存在するのであり、視覚像は1つに限られる。脳は、複数の視覚イメージを同時に処理することはない。これは何を意味するのか？

以下まず、合理的撤退の困難について考察し、次いで生物が3つ以上の眼をもたない理由を検討しよう。両者は同じメカニズムを別様に表現しているのではないか。

1　撤退の困難、あるいは生物が3つ以上の眼をもたないわけ

人間はなぜ慣性から逃れられず、破局へと至るのか。その理由の1つとして、「人間は、なぜ慣性から逃れられず、破局へと至るのか」という問いを、考えてこなかったことがある。真剣に考えてきたならば、慣性をめぐる知が蓄積され、「努力」「勉励」「克己」と並

んで「撤退」が大書・墨書され、日々の「目指すべき姿勢」として掲げられていたかもしれない。だが、そうしたマヌケな情景は人類史に現れてはいない。撤退がネガティヴだからである。「目指せ！　後ろ向き！」は間尺に合わない。目は前方のみを指す。ゆえに、「前向きでポジティヴ」以外の目標（目が指すべき標）は考えられなかったのである。しかし、そこに人類の知的貧困が表れてはいないか？

人の思考はオブジェクトレベルに、そして前向きに設定されている。よって当然ながら、定められた目標の達成が称えられ、そのための「努力」「勉励」が賛美されてきた。「脇目もふらず」、ミッションに「没頭」すること――ターゲット・ロックオンを崩さないこと――それがあるべき姿勢なのである。目標達成が困難な場合、人々は障壁を細かい要因に分解し、課題克服の処方箋を探り、ブレイクスルーを試みるのである。メタレベルで「慣性の力」を解明したり、後ろ向きの撤退を掲げたりすれば、注意散漫と叱責され、敗北主義者と斥けられよう。官僚もゲーマーもビジネスパーソンも帝国軍人も、危機にあってこ

＊12　むろん、本稿の関心は古生物学的な真理を探究することではない。古生物学会の現状、「光スイッチ説」の説得力がどの程度のものかも詳らかではない。ここではただ撤退学的関心から、「高等生物で3つ眼、4つ眼はいない」という事実を精神史的に考察するのみである。

そ、その克服に知恵を絞り、粉骨砕身努力するのである。

こうして知性は、目的遂行能力と見なされていく。ターゲットをゲットするための戦略戦術、深謀遠慮、虎視眈々、これが知性の役割となり、人類はおのれの思考を、オブジェクトレベルに固定する。ターゲットをロックオンしつつ、同時に、メタレベルに浮遊することは獲物獲得の妨げ以外ではない。「脇目もふらず」「没頭」すること、これが称賛される限り、撤退という後ろ向きの選択肢は「眼中」に入らない。目と頭、視覚と脳は、「前方」に照準する。単なる目的遂行能力が知性とされるならば、単なる敗北が撤退なのである。

成果目標の達成に追われる「競争パラダイム」において、「撤退＝敗北」を選択することは難しい。そしてここには、生物学的な必然性も認められるのではないか。撤退という選択肢が「眼中」に入るためには、生物には後方を見る眼が必要となる。だが、そうした眼は存在しない。なぜか？　海中生物において、複数の視覚は生存競争上圧倒的有利にもかかわらず、この戦略を採用した生物は存在しない。眼は1対2つに限られる。これはなぜか？　個体発生において、脳が外転して眼が形成されるように、視覚と大脳は不可分だからである。そして、大脳が単一でなければ、生物は個体として生きていくのが至難となるからである。考えてもみよ。1個体に4つの中枢&視覚イメージが存在し、それぞれが前進・撤退・浮上・潜水を主張したらどうするか？　それぞれ論拠を示しつつ理性的な討議を行い、多数決で方針を決定する？ 個体内部で熟議デモクラシー？ むろん、そのあいだに獲物は逃げ、おのれが餌食となろう。ことの本質は、「中枢は1つだけ、そこに4つの視覚イメージが与えられる」という形態でも、変わるわけではない。生存競争下、視覚イメージはそれ自体が明確な主張だからである（「前方に獲物アリ＝獲れ！」「後方に敵アリ＝潜れ！」）。

以上、生物が3つ以上の眼をもたない理由を考察した。思うに生き物たちは、孫子と意見を同じくしたのである。戦いの本質は「速度」にある。生存競争を勝ち抜くには、即断即決というあり方がふさわしい。ゆえに、視覚は中枢と結びつきかつ単一でなければならない。単一性に、ブレや揺らぎを与え、「遅延」をもたらす他性・複数性は禁物といえよう。生存戦略として、複数の視覚を有することは、メリットよりデメリットの方が大きかったのである。カンブリア紀、「5つ眼の奇妙な試作品」と形容されるオパビニアは、子孫を残すことなくこの世から消え去り、解析度のよい像を形成する眼は、すべて1対2つとなっていく。激化した生存競争下、「視覚＝中枢」には単一性が求められたのである。

いつの時代であれ、戦いの理想は「来た、見た、勝った」という3語に集約されよう。「遭遇≒照準≒獲得」のほぼ同時性、この圧倒的な速度をカンブリア紀には三葉虫が、古代ローマではカエサルが体現したのである。眼で殺す、そのスピードが戦いの理想といえようか。

いずれ戦う者にとって、他性や複数性は排すべきノイズにすぎない。目標は「獲物獲得」として、つねにすでに定まっているからである。他性や複数性が意味をもつのは、価値そのもの、目的そのものを吟味するときであろう。そのときには、おのれの狭さや蒙昧を撃つ他者の声が、覚醒を呼びおこすからである。だが、激化した生存競争の時代は、そうした「とき」を忘れさせるのである。

さて、生きることの目的が生存競争の勝利にあり、とどのつまりターゲットのゲットによるおのれのエネルギー増大にあるならば、獲物獲得へと能力を集中させることは、生ある者の正しい姿勢かもしれない。その場合知性とは、目的遂行能力となる。創意工夫を重ね、成果目標を確実に達成する――そうした有能なエージェントやビジネスパーソンは、三葉虫にも比肩すべきその知性を称えられるべきである。彼らはみな、目的合理性にもとづきおのれのエネルギー増大へと脇目もふらず邁進する。

よってもちろん、「三葉虫って考えているの？　本能のまま動いているだけじゃない？　知的ですか？」という素朴な疑問は、そのまま有能な自称ホモ・サピエンスたちにも向けられよう。彼らは本当に考えているのか？　時流にそくしたミッションのまま動いているだけではないか？　それを知的と言ってよいのか？　確かに、目標達成に習熟することは、オブジェクトレベルで「生きる」ことの力量を明かすが、しかしそれは人間に固有な「善く生きる」ことの証左ではあるまい。そして「善く生きる」ことのうちには、おのれのミッションを成り立たせている地平そのものを、メタレベルで疑うことが含まれたりはしないか？　また、それを促すのは、他性や複数性やノイズだったりはしないか？

ともすれば、オブジェクトレベルでの有能は、メタレベルでの惰性を表す。粉骨砕身任務を遂行する軍人は、思考停止の別名かもしれない。常在戦場、スキなく油断なく生きることが三葉虫的知性であれば、人間の知性はむしろ眼前の目標、既存のミッションに没入しない力、メタ次元を構成しハズレる力ではなかろうか。以下節を改めて、今度は人間固有の知性について検討しよう。視覚に囚われることなかれ。これが、その際の標語となる。

2　人間の知的特性

(1)　言葉

サルもなかなかのサル知恵をもつ。環境に適応しつつ目的を遂行する能力が知性ならば、それは三葉虫から人類にまで共通する力であろう。では、知性において、人間とサルとの決定的な違いとはなにか。むろん、無数の答え方があるが、代表的なものとして「言葉を話す」「笑う」「芸術の創作」などがあげられよう。一見バラバラなこれら3つの事象に、なにか共通する特性はあるのか。我々はそれを、「離脱」と捉える。自分がその中にいる世界に埋没しないこと、距離を取りつつ外から眺めること、世界を脱落させその外部を露出させること、端的にいって世界外への離脱、これが「言語」「笑い」「芸術」の共通点ではなかろうか。

まず「言語」をとり上げ、人間以外の動物が使うコミュニケーションツールとの違いを考察しよう。ここでは、哲学的・言語学的な議論に深入りする余裕はない。簡潔を旨とすれば、違いは「言語」と「記号」の差異に認められる。動物たちがコミュニケーションで用いる声や臭いやダンスなどは、「言語」ではなく「記号」なのである。ここで「記号」とは、一般に「交通記号」「地図記号」「元素記号」などと表現される際の「記号」である。では、言語と対比した場合、記号の特性とは何か？

1つには、その記号を使う者たちにとって、「解釈の余地がない」という点があげられる。たとえば、交通記号において「」は、「車両進入禁止」を表す。ここに解釈の余地はない。仮に、「駐車禁止」との間に解釈の余地があれば、危なっかしくてしょうがない。「記号」とその「指示内容」は「一対一対応」をとるのである。多くの動物たちが、音波やフェロモンや身振りなどを用いてコミュニケートするが、それらが記号である限り明確な意味内容――「危険」「安全」「移動」「停止」「食物」「生殖」「喜」「怒」等々――を伝えている。チンパンジーやイルカなどは、多様な意味内容を伝えてはいようが、人間的な「文脈における解釈」を行っているとは思えない。行っているとすれば、人間知性との間に本質的な差異は存在しないのではなかろうか。

翻って、人間的な言語の特性を確認しよう。ややレトリカルな表現を用いれば、それは「言葉の意味を決定するのは、言葉の意味ではない」という点にある。記号の場合、その意味を決定するのは、記号の意味にほかならない。すなわち「」の意味は、「車両進入禁止」として決定されている。これに対して言語の場合、事情はずいぶんと違ってくる。たとえば、「おまえ、ほんま、あほやな」という言葉が発せられたとしよう。その意味はなにか？　言葉の意味としては、「相手への深いさげすみ」を表す。しかしこれが、彼女にベタ惚れの兄ちゃんからヤニ下がった声で発せられた言葉だったとしたらどうか？　その意味は、「むっちゃ、かわええやん。抱きしめたろか」だったりはしないか？　そして、兄ちゃんはそのつもりで発したのに、彼女は「さげすみ」と受け取って、ぶんむくれて帰ったりはしないか？　人間のコミュニケーションにおいて、言葉の意味を決定するのは、言葉の意味ではない。文脈であり、解釈である。したがって、厳密にいえば、言葉の意味は決定不可能というほかはない。各人各様に広がる意味解釈の拡散を、止める術はないからである。では、ここからなにがわかるか？

ここからわかることは、人間がおのれの世界に埋没しないということである。この点に、人間と動物との差異が見いだされる。動物における記号の交換が畢竟《ひっきょう》環境の関数と認められれば、それは世界への埋没を意味しよう。彼らは場面場面で記号を発する。食物があれば「集まれ！」という情報を、天敵が迫れば「危険！」という情報を、動物たちは音波や身振りで伝えるのである。その際、危険の度合いによって「レベル大」「レベル小」などグラデーションを使い分けることもありえよう。だが恐らく、嘘をついてほくそ笑むイルカは存在しない。シャチが迫っていないのに「シャチが来たぞ！　レベル大！」と何度も発して、ついには誰からも信用されず、本当にシャチが来たとき食べられてしまう「狼イルカ」が存在する可能性は低い。そしてまた、イルカたちの間に、「狼イルカ」の寓話が伝わっている可能性も低い。だが、もし伝わっているとすればいかがか？　それは、イルカと人間の知性が同質ということを意味するのではないか？*13　狼イルカは、現実世界にはまっていると同時に、そこから離脱している。「場に有益な情報」という必然のくびきを逃れ、メタ情報で遊んでいるからである。これはどういうことか。

言葉をもち「虚」の世界を作るということは、現実に活動する自分たちを、その外部から眺める、そんな視角が存在することを意味する。それは、オブジェクトレベルで対象を捉える視覚ではなく、メタレベルでのパースペクティヴである。「嘘をついてほくそ笑む」「自分のマヌケぶりを笑う」こうした振る舞いは、世界に埋没する者にはなしえない。また、次のような説明もありえよう。動物たちのコミュニケーションには「世界」を意味する記号は存在しない。人間のみが、「世界」という概念をもっている。これもまた、人間には、世界の外部というモメントがあることを表す。というのも、認識には距離が必要だからである。まず、具体例で説明しよう。

いま私の左手には、「ザクザク食感のベルギーワッフル」が存在する。それを、ぐんぐん私の眼に近づけてみる。次第にワッフルは茶色い塊となり、ついには眼にくっつき、全体がブラックアウトする。もはやそれが、「ザクザク食感のベルギーワッフル」だと認識することはできない。すなわち認識には、対象との間に距離が不可欠なのである。ならば、

＊13　私見だが、イルカの知性は人間とは違う方向に進んでいる。「嘘」や「世界からの離脱」というベクトルでは、人間知性の方が進んでいるが、「楽」や「遊」という観点では、イルカの方が遥かに進んでいる。イルカを見ていると、知的憧れを禁じ得ない。現実の外に物語やエンターテイメントを作ることなく、狭い水族館の中でさえ、生きることが遊戯となっている。この力量は何だ!?

「世界」という概念をもち、自分の「世界観」をついつい語っては後で赤面する者には、世界との間に距離が存在する必要があろう。むろん、人間は世界のうちにある。したがって、ここで問題となるのは、フィジカルな距離ではなく、メタフィジカルなそれではあろうが。

(2) ユーモア

「世界とのメタフィジカルな距離」、多くの論者はここに、ユーモアの核心を見いだしている。[*14] たとえばフロイトは、ユーモアをめぐる有名なエッセイの中で、過酷で絶望的な現実と、そこに陥った人間の予想外の態度、その落差からユーモアを説明する。「その人物が置かれている状況を考えると、その人が激しく怒り出し、嘆き、戦慄し、絶望するだろうことを、聞き手は予測している。そして、その人物を見守って、自分でも同じ感情を味わうべく準備している。しかし、予測は裏切られる。その人物は激しく絶望するのではなく、冗談を言うのである」。

その典型は、いわゆる「死刑囚のユーモア」であろう。ここでは、トマス・モアの例を引こう。ヘンリー8世の強引な宗教政策に反対したモアは、大逆罪を問われ1年以上倫敦塔に幽閉された後、斬首刑に処された。「法の名の下に行われたイギリス史上最も暗黒な犯罪」である。長い幽閉により足がふらつくモアは、処刑台を上る際、かたわらの者に助けを求めつつ、こうつけ加えた。「降りるのは自分でやれるからね」。首すとん、ころころ。そして、いよいよ斬首のとき、伸び放題の髭を首からわきに追いやり、人生最後の言葉を発する。「この髭は大逆罪を犯していないからね」。

こうした「死刑囚のユーモア」（フロイトは、「月曜日の男」の例をあげる。月曜日に処刑されると知る男が、その日の朝なにかを見つけて、「おや、今週も幸先がいいぞ！」と笑う）、そこからフロイトは以下の考察を行っている。第一に、威厳や崇高を感じさせる品性。「ユーモアには、ジョークと同様に解放的なところがあるが、それにとどまらず、なにか堂々としていて、崇高なところがある」。人は世界をコントロールすることはできない。その人の徳性や努力にかかわらず、不条理で過酷な事態に次々と襲われこともありえよう。だが、それに屈し状況に没するのではなく、おのれの絶体絶命を笑うこと、世界とのメタフィジカルな距離、ここにフロイトは「自我の不可侵性」を認めるのである。人間は世界をコントロール

＊14　ここで考察の対象となるのは、他者を落として笑いをとるジョークやウィットではなく、自己を笑うタイプのユーモアである。

できないが、世界もまた人格の内奥をコントロールできない。人の心は、世界に発生する出来事の関数ではない。ドイツの諺がいうように、ユーモアとは「にもかかわらず笑うこと」なのである。世界への回収不可能性、これが人間の自由を証し、人格に威厳や崇高をもたらすのである。

第二に、不屈なる反抗的な魂。ジョークやウィットとは異なり、ユーモアで笑いの対象となるのは自己自身であるが、それは自己否定による諦観や消沈を導くものではない。逆である。ユーモアが表す「世界からの離脱」とは現実からのストア的退却ではなく、断固たる抵抗、不屈なる反抗を表す。フロイトは「月曜日の男」を例に、重要なのは単なる「状況の超越」ではなく、超越が同時に「状況への抵抗」である点を強調する。

「月曜日に絞首台に引かれていく罪人が次のように言ったとしよう――『こんなこと、どうってことないさ。俺のような男が吊るされたからって、どうなるんだ。それで、世界が滅びるわけではないし』。この言葉は現実の状況を鷹揚に超越していること、賢明で、根拠もある言葉であることを認めるにやぶさかではない。しかしそこにはユーモアの痕跡もない。この言葉は現実を正しく評価している、これこそまさに、ユーモアとは正反対の姿勢なのである。ユーモアの語り手は諦めることなく、頑固に抵抗する。ユーモアの語り手においては、自我が凱歌をあげるだけではなく、快楽原則も凱歌をあげている。ここで快楽原則は、現実の状況の厳しさに直面しても、みずからを貫徹する能力があるのである」（傍点引用者）。

現実から距離を取り、それを客観的に認識することはその人間の力量を示すが、しかしそれだけではユーモアは生まれない。フロイトがいうように、単なる「現実の正しい評価」は、「現実の受容」という従順に帰結する。そこにはいささかのマヌケも笑いもなく、また、なにかを始めようとするエネルギーも感じられない。これに比して「月曜日の男」は面白がっている。この状況下「おや、今週も幸先がいいぞ！」と発する自分のマヌケぶりを笑うのである。その瞬間、男は世界の外に立つ。次の瞬間、絶体絶命な状況は微塵も変わることなく、だが、状況から絶体絶命性が脱落するのである。男はなにかを始めようとしている。「今週も幸先がいいぞ！」という言葉には、行為への健康な意志が感じられよう。[*15] そして具体的になにをなそうと、たとえば階段をふらふら登ろうと長いアゴ髭をどけようと、その行為がメタレベルで指示するのは、この不条理な現実に屈しないこと、抵抗の断固たる反復以外ではない。『夜と霧』でフランクルは、絶滅収容所を耐え抜くカギとしてユーモアをあげる。たとえ「数秒でも距離をとり、環境の上に自らを置くのに役立つ」から、ユー

＊15　フロイトが感嘆するように、ユーモアにおいては「快楽原則の貫徹」と「精神の健康」が両立するのである。

モアは「自己維持のための闘いにおける心の武器」なのである。「絶望の反対語は、希望ではなく、ユーモア」——そう、宇多田ヒカルも語っている。

〈若干の存在論的補足：「苦笑」と「反復」について〉

ではなぜ、マヌケと笑いは世界の外を開き、不屈なる反抗的エネルギーを生むのか？ここには存在論的な理由がある。単なる現実の客観的認識ではなく、「世界からの離脱」が、「反抗の反復」を帰結させる道すじについて、簡単に確認しよう。

まず世界について。本稿で「世界」とは、「意味連関の総体」を表す。意味の網の目が「世界」である。たとえば雪原で暮らす人々にとって、「白色」のさまざまなバリエーションは、どこが安全でどこが危険かなど、彼らの生に死活的な意味のちがいをもたらす。したがって草原の民とは比較にならぬほど、「白」をめぐる言葉はバラエティーとニュアンスに富み、彼らの「世界」は「白」に関して複雑に分節化されるのである。太古より人間たちは《存在》に意味を与え、それを自らの住処、すなわち「世界」として構成した。その原初の営みが神話である。神話をもたない民族はいない。これは、人間が「無意味」には耐えられないことを表す。世界はどのように誕生したのか。我々はどこから来て、どこに行くのか。

なぜ存在するのか。これら一連の存在理由（raison d'être）をめぐる問いに答えること、これが人間の根源的課題であり、まずは神話がその任を果たしていく。人間は他の動物たちとは違い、物理的・生理的次元以上に、意味の次元を生きるのである。意味が与えられれば、人は喜んで自死を選択もしよう。意味に憑かれた生き物、それが人間といえようか。

だが、哲学者たちは非情である。彼らは、人間の根源的な希望の成就を否定する。人は十全な存在理由を与えられ、意味秩序に安らぐことはできない。「存在してしまっていること」は、意味づけの彼方、世界の彼方にある。たとえばサルトルは、実存（＝取り換えのきかない「この私」）があらゆる意味規定をはみ出す「余計もの」（de trop）であると主張する。この論稿を書いている実存（ホッタシンゴロウ）は、「大学教員」であり「日本人」であり「男」であり「酢豚愛好家」であるが、職業・国籍・性別・趣味嗜好等、意味規定を無限に連ねても「この私」を十全に意味づけることはできない。実存は意味の網の目（＝世界）に回収不可能である。大学を辞め酢豚と縁を切ろうと、「この私」は「この私」であるほかはない。何ものにも回収できない過剰として、マヌケに存在するのである。ここに人間の両義性がある。世界への回収不可能性は、先に見たように人間の自由や崇高を証す一方、永遠の不安定と彷徨を人の定めとする。ゆえにサルトルは、「人間は自由の刑に処せられている」と断じるのである。

これに対し、ペーパーナイフはマヌケではない。ペーパーナイフには、「封を切る」という十全な存在理由が与えられている。よって意味秩序の中に、間が抜けることなくキッチリと収納されるからである。観点を変えれば、制作者の有無が、人間とペーパーナイフの違いといえよう。後者に十全な存在理由があるのは、それを制作し、意味を与えた人間がいるからである。よって、創造主たる神が存在するならば、そのときにはペーパーナイフと同様人間もまた、十全な存在理由（＝制作意図）が与えられ、マヌケから逃れられるとサルトルは論じる。これが、人間たちが創造主を創造するゆえんであると。つまりサルトルによれば、「なぜ存在しているのか？」「自分の存在理由は？」という不安な問いを解消するため、人間は無意識のうちに神を創造し、これを逆転させ、神が人間を創造したと思いなして安心するのである。だが本当か？　創造主がいれば、本当に安心できるのだろうか？　むしろ、創造主の存在こそ、存在の否応なさを突きつけるのではないか？　存在の、逃れられないマヌケ、これが神のpassion（受難）では？

ハイデガーは、形而上学第一の問いとして、ライプニッツが定式化した次の命題を掲げる。「なぜ、なにもないではなく、むしろなにかがあるのか？」確かにこれこそ、問いの究極であろう。なぜ、なにかが存在するのか？　なにもないではなく、無ではなく？[*16]　残念ながら諸民族の創世神話は、この問いを回避することで成り立っている。「天地開闢《かいびゃく》」「乳海攪拌」「原初の淵」「カオス」「宇宙卵」など、各種各様に「はじまり」は提示され、また「はじまり」から諸々の存在者が分節化され、いまある世界が構成される過程は説明される。だが、なぜそもそも「天地」は存在しているのか？　「卵」はどこから来た？　なぜある？　こうした問いに正面から向き合う神話は存在しない。

一神教に焦点を当てれば、事の次第はより明確となる。「はじめに神は天と地を創造された」、これが『創世記』の冒頭である。もし、そのとおりなら、むしろ次のように書きはじめるべきではなかったか。「**はじめなし、神あり**」。なにもないではなく、もしなにか

＊16　「神秘とは、世界がいかにあるかではなく、世界があるというそのことである」（傍点原文）とウィトゲンシュタインはいう。世界の中にミステリアスなことは生じない。不思議はない。ただ、珍しいことが起きるにすぎない。たとえば、眼前のＴＶモニターから髪を垂らした奇怪な面体の女が、私のいるこちら側へと次元を越えて這い出したとしよう。私はむろん、腰を抜かす。ひどく珍しい出来事だからだ。だがこれは、「世界がいかにあるか」について、我々の知見が未熟だったことを表すにすぎない。「貞子」の異能が客観的事実となれば、私たちは「生き物事典」を全面的に書き換える必要に迫られるが、しかしその場合、彼女の恐ろしさは、「ヒアリ」や「セアカゴケグモ」のそれと本質的に同種となるほかはない。恐いのは恐い。だが、もはや自然的恐さにすぎず、超自然的なそれではない。世界の内なる存在者はすべて意味づけ可能であり、神秘のアウラを失っていく。我々が震撼すべきことは、この世界にはない。世界の外、《存在》があるということなのである。

が存在しているとすれば、存在の「はじまり」は存在しない。これは必然である。「宇宙卵」の「元」を語ったとしても、無限に遡及しよう。また「おわり」もない。一度何かが存在した以上、「なにもない」は永遠にありえない。第一存在を神と呼ぶならば、「**はじめなし、神あり。おわりなし、神あり**」となる。だがなぜ、あるのだろうか、神は？　形而上学第一の問いは「いかにして」ではなく「なぜ」を問うている。これは神に突きつけられた倫理的命題なのである。「なぜ、こうした事態が出来しているのか？」「なぜ、《存在》があるのか？」、その弁明を第一存在に求めること、これは「存在してしまった」すべての存在者の実存的な訴追である。

むろん神も、弁明することはできない。なぜなしに、「元」なしにあること、うかつにも存在してしまったこと、しかもおわりなく永劫に、これが神の受難である。神の第一の属性はマヌケというほかはない。「はじめに言葉ありき。言葉は神とともにありき」。『ヨハネ福音書』冒頭で示された「原初の言葉」、これを『創世記』と照らし合わせれば、その言葉は「天と地！」であろう。この言葉が発せられたことにより、「天」「地」ならびに「と」が創造され、「感嘆」という事態が出来する。神は、対置された天地を嘉《よみ》するのである。「はじまり」という出来事、出来事の中の出来事は、こうして誕生した。以後、時は流れ始め、万有が生成していく。[*17]ならば、神の第二の属性は弱さではないか。「天と地！」、この言葉には、神の耐久力不足が表れている。言葉を発する神、人格としての神は、独りであることに耐えられなかったのである。一者であること、時が流れず「永遠のいま」のなかで、自分だけ充満しているマヌケ、ハイデガー流にいえば「存在者なしの存在」「無としての存在[*18]」であること、これに耐えられない神の弱さが、すべての「はじまり」であ

＊17　今は昔、キリスト教の初期教父たちを悩ませていたある難問があった。それは「天地創造以前、神は何をしていたのか？」という問いであった。驚くべきことである。彼らは、全く答えようもなさそうなこの問題を、全身全霊をかけて考え続けていたのである。そこには、一種独特な精神世界が構成されていた。しかし、もっと驚くべきことに、この問題には「正解」がある。アウグスティヌス――初期キリスト教最大の教父は、この神学上のアポリアに最終的な解答を与えたという。以下、彼の答えを要約しよう。そこには「時間と他者」について、示唆的なことが語られている。

「与えられた命題は、『天地創造以前、神は何をしていたのか？』というものだが、この命題には、『天地創造より前』という『時間』が前提にされている。だが、そのような時間は存在しない。一者に、時間は流れない。時間は『天地創造』（＝神の他者の創造）において、初めて動きだしたのである。よって、存在しない時間性を前提とするがゆえに、この命題は、問いの立て方自体が誤りであり、斥けられねばならない。天地創造とは、『はじまり』の創造なのである。Q．E．D．」

＊18　「存在者」つまり存在する者は、必ず「個体」として、他との差異において存在する。目の前のPCは、机や壁との差異において、PC以外のものを「地」とするなかで、「図」として浮上するのである。しかしな

り、森羅万象の存在理由であろう。神には「存在者の存在」が必要であった。神の他者たる存在者たちは、神の弱さの証である。[*19]

ここまで若干の存在論的考察を試みた。[*20] ひとたび世界の外、意味秩序の外部に出ると、そこで我々が出会うのは、存在の逃れられないマヌケである（一神教の場合、神の弱さがオマケである）。では、人間知性は、この事態をどう受け止めたらよいのか。むろん、脱力するしかない。「あらあら」「なんとまあ」と、苦笑いするほか致し方なかろう。そしてこの「苦笑」こそ、フロイトがユーモアの核心に認めた人間の根源的な徳性なのである。ユーモアを語る人は、「自分を子供のように扱って、同時にこの子供に対して、優越した大人の役割を演じ」ている。「子供にとっては重大に思える利害関係も苦悩も、大人はそれが無にひとしいようなものであることを知っていて、苦笑しているのである」。「ごらん、これが世の中だよ、とても危険なものにみえるだろう。でも子供の遊びのようなものなのさ、冗談で笑い飛ばしてごらん」。

確かに人間知性が、既存の意味秩序からハズレ、世界の外へ、《存在》の側へと出る力ならば、世界内部の出来事は、ただ一幕の笑劇と見えてこよう。すべてが、マヌケたちの右往左往である。これに苦笑する知性は期せずして「親」となり、自分と森羅万象と神とを、「親」の観点から眺めるのである。もはや世界内部でなにが起きようと、それは「子供の遊び」以外ではない。自分についていえば、絶体絶命の状況はいささかも変わることなく、状況から絶体絶命性が脱落するのである。これが不屈の反抗を可能とする。親の「苦笑」は、子どもの苦闘に対する否定ではなく、励ましだからである。子どもが死にそうな

がら、神のみが存在する場合、神は「他者なき一者」とならざるをえず、他の存在者からおのれの存在をレリーフする差異がない。ゆえに「存在者なしの存在」は、「存在者とはいえない存在」、つまりは「無としての存在」というべきこととなる。

よく知られているように、ハイデガーは「充足理由律」を換骨奪胎した。Nichts ist ohne Grund「なにものも根拠なしには存在しない」（いわゆる充足理由律）を、「無は根拠なしに存在する」と読み替える。ハイデガーにおいては、Nichts（Nothing 無）は、主語として捉え返されるのである。「神、すなわち根拠なしに存在する無」、実にマヌケである。「親」がいない、「元」がない、しかも「無である存在」、これが神の受難であろう。この神を優しく慈しむこと。我々が「親」となってあげること。

＊19　なぜ、すべての存在者は、これほど儚く、悲しく、美しいのか？　夏の一日が終わりかけ、夕日があかあかと《存在》を照らしだすとき、物干し台も、カエルも、路線バスも、選挙ポスターも、すべてが美しく、悲しく、移ろっていく。時が流れること、あらゆる存在者に刻まれた美しさと悲しさ、それが、神の弱さの証ではないか？

＊20　むろん、一神教の神に関するこうした存在論的考察は、1つのロジカルな解釈にすぎない。神の第1属性、第2属性がそれぞれ「マヌケ」と「弱さ」であることについて、論理的な反駁は困難と我々は考えるが、しかし論理を超えたところに、神への「信」が認められよう。Credo quia absurdum est（不合理なるがゆ

顔でなにかをしている。笑いながら親はいう。「そんなの深刻な事ではないよ、さあ、大丈夫だから、もう一度やってごらん」。絶体絶命性の脱落は、一方で反抗者を絶望から遠ざけ、健康な運動エネルギーで満たしていく。だが他方で、世界内の許しがたい状況をいささかも変えるものではない。ゆえに、世界内では反抗が不可欠となり、過酷な状況に屈することなく、反抗は幾度も「反復」していくのである。

以上、存在論的考察は、我々を世界の外部、《存在》の起源へと連れだした。人間の知性は、未知を探究し外へと向かう。だがそこで遭遇したのは、存在の逃れられないマヌケという苦笑すべき事態であった。もし実際、そのマヌケを笑いうるならば、人間にはオブジェクトレベルとメタレベル、子と親、2つの次元を同時に生きる可能性が開かれよう。世界を生きると同時に、脱落させて生きるのである。これこそが、人を、自分の人生の「主人公」とする道ではなかろうか。というのも、世界の脱落とは、これまでの人生が抜け落ちること、人生を新たに選び直すことだからである。「なるほど、これが俺の人生であったか、ならばもう一度！」、こうした「反復」以上に楽しいことがあるだろうか。この私（ホッタシンゴロウ）が20世紀後半の日本で生まれ育ったこと、いまのところ日本語でしか思考できないこと、こうした生の条件を変えることはできない。だが、それに埋没せず、面白がることはできる。「なるほど、これが俺の人生であったか、ならばもう一度！」。幾度も幾度も生を選び直し、創りかえること。運命愛（Amor fati）。
さて、ここまで人間知性の特性として、世界（＝意味秩序）からの離脱について考察した。[*21]
ここでの知見を援用し、以下宿題を果たすこととする。第1章【問題】の末尾で、我々には2つの問いが与えられた。それぞれに解答しよう。

3 【解答】

まず、【問題】を確認する。提示された問いは、以下のとおりである。

＊21　人間の知的特性として、本節では「言葉を話す」「笑う」「芸術の創作」という3つの事象をあげていた。ただ、「世界からの離脱」という点に関しては、すでに前2者を検討する上で十分論じたつもりである。紙幅の都合上（本当は締切の都合上）、「芸術の創作」に関する撤退学的考察は、他日を期したい。我々としては、既存の意味秩序を突破し、世界を外部へと開く力として「芸術」を論じるつもりである。

えに我信ず）は、揺るがしがたいのである。

第１問：面白さについて

近代システム以上に、人間の快楽に適合的なやり方は存在するか？　もっと面白い道はありうるのか？

「競争パラダイム」に貫かれた近代は、社会活動の総体をゲーム化し、その結果、分断・格差・環境破壊など深刻な課題を生み出してきた。しかし、その解決も近代システムで行い、更なる深刻な課題を生むほかはないのか。確かに、近代の歪みがもたらした課題の解決にあたり、王道とは、歪みを正して当初の近代的理念を実現させることであろう。つまり、自律的・理性的な市民を育成し、「啓蒙未完のプロジェクト」を完遂させるのである。だが、このやり方で大丈夫か？　あんまり真面目すぎないだろうか？「カントが唱えた如く、自律的行為者による理性の公共的使用を為せ！」、え、なんですって？　いま、なんておっしゃったの？　全然わかりません。「啓蒙のプロジェクト」を唱えても、多くの人は聞き返すばかりだろう。大衆にとって、『週刊少年ジャンプ』やＲＰＧ以上に魅力的なわけがない。啓蒙のプロジェクトは、エンタメ的面白みを欠く限り、未完のまま終わるほかあるまい。

これまでの近代批判は、問題の立て方を間違っていた。問題は、より正しい道の追求ではなく、より楽しい道の追求ではなかろうか。だが、そのような道は存在するのか？

第2問：リアルについて

人生＝ゲームからの脱出路、リアルライフからの撤退可能性をどこに見いだしたらよいのか？　いや、撤退してもよいのか、人生から？

ではまず第1問から。問題の核心は、近代システムの魅力にある。「競争パラダイム」に貫かれた近代システムは、社会全般をゲーム化することによりさまざまな危機を顕在化させているが、しかしその克服もまたシステムのバージョンアップで果たそうとする。このゲームの中毒性は高い。生真面目で真っ直ぐな別の選択肢（啓蒙のプロジェクト等）より、はるかに魅力的なのである。ゆえに人類は1つの螺旋階段を、利権（政治）・利潤（経済）・利便（テクノロジー）・利口（分析的知性）で構成された螺旋階段を、加速しながら高く高く上っていく。この上昇運動を続けるとき、いつか人類は、決定的なカタストロフィーを迎えるのではないか。これを止める術はないのか。これが第1問の核心である。

では考えてみよう。オンラインゲームにはまっている子どもたちを、スマホから引き離すにはどうすればよいのか。強制的にではなく、一時的ではなくという条件を加えると、ゲームより面白いなにかが必要となる。ということで、リアルな冒険はいかがか。見知らぬ森や怪しげな市場やゴーストタウンに連れて行く。場が生きる遊びをみなで考えながら、フル回転で暴れ回る。これは相当面白いのではないか。「リアルにおける冒険の主人公」より面白いものはない。

確かに、日常がルーティーンの連続で、自分がシステムの歯車になっているとき、「VRにおける冒険の主人公」は圧倒的に魅力的だろう。だがそれも、「リアル冒険主人公」にはかなわない。だって、リアリティが全く違う。だからこそ、疑問や恐れも生まれてこよう。「リアル冒険」って、さすがにヤバすぎるんじゃない？　現実世界でバトルロイヤルはだめですよね。銀行強盗まではですよね。こうしたダメ出しを受け入れるならば、ここでカギとなるのは、「日常生活そのままの冒険化」が可能かどうか、である。学校での「自分」、会社での「作業」はいささかも変わることなく、しかしそれがそのまま「主人公」と「冒険」に変貌する術はあるのか。

むろん、ある。この位相構造は、先に検討した死刑囚のユーモアと同型だからである。状況はいささかも変わることなく、その意味が変貌すること、それは、世界を生きると同時に脱落させて生きることで可能となる。上述のように、そのとき人は、おのれの人生を「主人公」として反復する。だから、ホモ・サピエンスよ、世界の外、親の観点からマヌケたちを眺めたまえ。これまで自分を縛りつけてきた重力場、人生という重力場が無化されるのが感じられよう。「なるほど、これが俺の人生であったか！」、この認識には苦笑がともなっている。笑いは浮力であり、無重力の場を開く。「ならばもう一度！」、そこに「主人公」が誕生しよう。既存の意味秩序がリセットされる無重力は、新しさが生まれるトポスである。私はこの条件（＝これまでの人生の状況）で、いま、世界に舞い降りた。これ以上に面白い冒険はない。人生を、いまここから創造できてしまう。即今、当処、自己。

思うに、人はリセットが大好きな生き物である。ゲームが楽しく楽な理由の1つとして、いつでもリセット可能な点があげられよう。人生でも、リセットボタンがあればいいのに……そう願う人が大半ではなかろうか。人は意味の次元を生きるがゆえに、意味に憑かれ、意味に疲れ、人生のリセットを欲するのである。誰もが、新たに生き直す可能性を夢見ている……ならば、ホモ・サピエンスよ、苦笑いを学べ。ただそれだけで、汝の望みは叶えられよう。

さて、『週刊少年ジャンプ』やRPG以上に面白い道、すなわち「リアル冒険主人公」への道が示された。続いて第2問を片づける。

第2問は、撤退学の根本動機に関わっている。第1章【問題】でそれは、次のように表現されている。「大日本帝国もまた、B29という他性なくして『惰性・慣性の力』から脱け出すことはできなかった。だがそれはむろん、『カタストロフィー前の方向転換』ではない。我々はいま、カタストロフィー以外の他性を、どこに見いだせばよいのか？　どこから、覚醒の声が聞こえてくるのか？」この訴えに呼応する形で、第2問は提示されている。「人生＝ゲームからの脱出路、リアルライフからの撤退可能性をどこに見いだしたらよいのか？　いや、撤退してもよいのか、人生から？」その答えはすでに示されている。「覚醒の声」は、世界の外、《存在》から響いてくるのである。利潤獲得ゲーム・偏差値獲得ゲーム・配偶者獲得ゲーム等々、「人生＝ゲーム」は、すべて世界内部の出来事である。撤退的知性は、オブジェクトレベルで人生からの撤退を指示するものではない。自死を勧め、虚無へと誘惑する「シレノスの知恵」ではない。[*22] メタレベルで、世界を脱げと告げるのである。脱世界により《存在》の神秘が明かされること、これこそ撤退的知性のわざであろう。第2問で希求された「他性」、日常生活・リアルライフの「他性」は、こうして与えられることとなる《神秘》である。日常を一撃で変貌させる他性の力、それは《神秘》の顕現以外ではない。ならば人類は、「分析」から「撤退」への知的転回を果たさねばなるまい。「世界がいかにあるか」をどこまで精緻に分析しようと、《神秘》には届かない。先に註16でみたように、《神秘》は分析の埒外、世界の外にある。思うに、人類はこれまで世界に存在しすぎていたのである。外に出るがいい、ホモ・サピエンス「賢い人間」よ。その名に値するまで、あと一歩世界の外へ、撤退せよ。

以上、第1章【問題】で提示された問いは、すべてクリアされた。存在の逃れられないマヌケを笑え。世界を生きると同時に脱落させて生きよ。これが撤退学の根本テーゼである。これにより我々には浮力が与えられ、「惰性・慣性の力」を超える場が示されるのである。滝の音に気づいたら、氷山が近づいてきたら、これまでの世界を落とし、船を方向転換させなければならない。

さて、ここまで我々は、いわば実存的観点から撤退的知性について論じてきた。ならば次の課題は、社会思想を提示することであろう。いかにして、社会的実践の場に撤退的知

＊22　いまは昔、ミダス王（触れるものがすべて金になって喜んだけれど、何も食べられなくなって困ってしまった王様。また、耳がロバの耳になって困ってしまった王様）は、森の賢者シレノスに質問したことがある。その答えを「シレノスの知恵」という。質問「人間にとって最善とは何か？」答え「生まれなかったこと、存在しないこと、無であること。そして次善とは、速やかにこの世から去ること、いますぐ死ぬこと」。ミダス王、また困る。

性を浸透させ、近代の「競争パラダイム」を転換させるのか。利権・利潤・利便・利口で構成された螺旋を解体する具体的展望とはなにか。次章では、この課題に取り組むこととする。

3章

撤退学宣言 展望編

——テクノロジーは加速し、人類は愚行を繰り返す

以下本章では、個々の実存ではなく社会思想や政治哲学のレベルで、「撤退的知性」の意義を考察する。存在の逃れられないマヌケを笑え。世界を生きると同時に、脱落させて生きよ。この基本テーゼは、いかなる社会構想を導き出すのか。その道すじをたどるにあたって、まずは2つの命題を提示する。①国際政治上のリアリズムは、国益の追求を第一とするがゆえに、国益を損なう――さらに悪いことに、この落とし穴を意識しつつも、そこから逃れるすべがない。②「君と世界との戦いにおいては、世界の側を支援せよ」（カフカ）――このパラドクシカルなカフカの主張は、一見したところとは逆に、政治的リアリズムに適合する。

命題①②ともに、不可解に思えよう。もし、これらに説得力を与えることができるとしたら、撤退的知性は社会思想・政治哲学のレベルで意義をもつこととなる。というのも命題①は、国際政治という場が「惰性・慣性の力」によって支配されていることを示し、命題②はそこからの脱出路を、オブジェクトレベルに埋没しない政治的実践のあり様として提起するからである。「戦う相手を支援しつつ戦う」――このマヌケな《二重性》は、命題②の主張どおり、政治的に有効なリアリズムたりうるのか？　これが本稿最大の関心事だが、まずはその前提として、国際政治を支配する「惰性・慣性の力」について確認しよう。以下、命題①を検討すべく、この30年の現代史を振り返る。

1　テクノロジーは加速し、人類は愚行を繰り返す
――よって主権者の顕現？

20世紀末に冷戦が終結したとき、楽観論者たちは、これで自由民主主義が世界に浸透し、平和と繁栄がもたらされると希望を語っていた。だが、21世紀はアメリカへの同時多発テロで幕を開け、その後の世界は20世紀の負の経験を忘却し19世紀へ、帝国主義の時代へと向かっているかのように思える。2001年10月NATOは結成以来初めて集団的自衛権を発動し、アフガニスタンで戦争をはじめた。国際テロ組織アルカイダを掃討するために、これをかばうイスラム原理主義過激派のタリバン政権を倒さねばならない――このアメリカの論理は、ニューヨークのツインタワーが崩落した衝撃のなか、地球の裏側での「自衛戦争」を正当化したのである。少なくとも、アメリカとその同盟国政府においては。だが、アフガニスタンの近現代史を少しでも知る者は、不安や怒りを覚えたに違いない。また、同じことが繰り返されるのか。大国に翻弄され、蹂躙され、内戦と恐怖政治と累々たる屍が残されるのか。アフガニスタンに侵攻する大国は、今度こそ責任をとらなければならない。長い時間をかけて、慎重に、アフガニスタン本位で、民主国家を築いていく責務

がある。しかし、そんな覚悟がアメリカにあるのか？　そんな力量が、NATOや国連に存在するだろうか？

もちろん、ありませんでした！　20年後の2021年8月、アメリカはドタバタと慌ただしくアフガニスタンから撤退し、タリバン政権が復活したのは記憶に新しい。その後2年以上たったいま、かの国で人権が尊重され安定した暮らしが回復するプロセスは、まったく描けないままである。残念ながら、この状況は長く続くだろう。

9・11同時多発テロの影響は、イラクにもまた戦争をもたらした。このときジョージ・W・ブッシュ政権は、国際社会において、カール・シュミットが規定する意味で「主権者」として振る舞ったのではないか。シュミットはいう。「主権者とは、例外状況に関して決定を下す者」である。「例外状況」とは、通常の法規範が機能しない非常時であり、よってその際には、既存の法体系を超えて国家意思を発動する主権者が顕現する。戦争、革命、自然災害、いずれが原因であれ例外状況では、主権者は憲法に縛られず、独裁的権力を行使しなければならない。「国家非常事態宣言→憲法停止→超法規的権力行使」、シュミットにならえば、これが主権的な振る舞いといえよう。法を創るがゆえに法に縛られない存在、主権者とは公法学上のジョーカーである。*23

さて、ではイラク戦争前夜を思い起こそう。ブッシュ側の論理を要約すればこうである。

①国際法の中心にある国連憲章は、戦争を「国家VS国家」として想定しているが、同時多発テロ後の世界では、「国家VSテロ組織」という想定外の戦争が始まった。②国家正規軍の攻撃と自爆テロを比較した場合、事前予測の困難さは後者の方がはるかに高い。③にもかかわらず、テロ組織が大量破壊兵器（WMD）を保持したとき、その攻撃力は国家正規軍に匹敵する。④自爆するテロリストは、WMDの使用を躊躇しない、交渉不可能な相手である。⑤いま最大の危険は、WMDとテロが結びつくことであり、これを阻止するために、WMDの製造・拡散をもくろむ「悪の枢軸」（イラク・イラン・北朝鮮）に対し、「予防的先制攻撃」を加えなければならない。

要するに、こういうことである。ブッシュ政権は「いまが例外状況だ」と決定を下し、「法外」の対応を決断した。リアリズムの泰斗キッシンジャーは、当時次のように語っている。「WMDとテロが結びつくこの時代は、国家主権にもとづくウエストファリア以来の伝統は再検討される必要がある」。いま起きているのは、国連憲章が想定せず、国際法が機能

＊23 ゆえに公法学は、主権者を顕現させない手段をさまざまに講じてきた。たとえば、緊急事態条項を細かく規定し、あらかじめ憲法内に明文化するなどである。思うに、法の根源的欲望は「想定外・例外状況⇓フリーハンドの権力行使」という事態を発生させないことにある。

しない事態だ。国家主権の相互不可侵を原則とする法秩序を守る限り、我々は国民の安全を保障できない。ならば、法を破ってでも、正しさ（＝国民の安全）のために行動しなければならない。アメリカは、未来の、あるべき国連憲章に従い行動する――これが、ブッシュ政権の本音だったのではないか。アメリカが動くことで、歴史は書き換えられ、現実に即した新しい憲章が、あるべき法秩序が構築されるのである。ブッシュの前に法はない。ブッシュの後に法は続く。これはまさしく、主権者の振る舞いといえよう。いまや、並立する国家主権を超えた、世界の主権者が現出するのである。

　むろん、ブッシュ＆ブレア政権があからさまにこうした論理を唱えたわけではない。米英の公式の主張は、湾岸戦争終結時の安保理決議をもちだし、「安保理決議にもとづく行動」を強弁するものであった。だが少なくともアメリカと距離をおく者、ロシアや中国には、米英の振る舞いは、主権的なそれとして眼に焼きついたにちがいない。主権者は「法の支配」を超越する。その「決断」に即して法が自在に更新されるがゆえに、主権者のフィールドは、法的真空状態といわざるをえない。つまり、なんでもあり、である。ということで、アメリカはイラク戦争を始めました。自衛権の行使ではなく、新たな安保理決議もなく、同盟国の独仏さえ反対し、ＩＡＥＡ（国際原子力機関）が核査察の継続を訴えるなか、イラクの国家主権をものともせず、戦争を始めました。で、どうなった？　独裁政権は倒れましたが、大量破壊兵器はありませんでした。テロ組織とのつながりもありませんでした。多くのテロリストや過激派が、権力の空白に乗じて、かえってイラクとその周辺に大集合です。中東は液状化し、イスラム国誕生やら内戦やらが収まることなく、「パンドラの箱が開いた」と評される状況が続いています。で、もちろん、誰もその責任をとりません。お見事！

２０２３年10月現在、ウクライナ戦争に終結の気配はない。誰も平和を見通せない。今年広島で開催されたＧ７サミットでは、「ロシアによる国連憲章の明白な違反を最も強い言葉で非難する」との声明が出され、「法の支配」の重要性が唱えられた。また、中国をも念頭におきつつ、「武力による一方的な現状変更」は断じて許されないことが確認されたのである。誠に、理にかなった声明といえよう。「法の支配」は何より大切であり、「国連憲章違反」「武力による現状変更」は許されるものではない。で、それを、どの口がいう？イラク戦争を始めた米英とそれを神速で支持した日本が、いってしまって大丈夫？もちろん、ロシアや中国は許しません。プーチンはことあるごとに「法の支配を蔑ろにするのはアメリカだ」と主張し、習近平は現状の国際秩序そのものの問題性を指摘する。まるで近衛文麿みたい。近衛は、論文「英米本位の平和主義を排す」（１９１８年）で、現状の国際秩序がいかに英米のご都合によるものか、よって「法秩序を守れ」という「平和主義」

の主張が、誰の利益に資するものか、これを冷静に見きわめよと説く。そして20年後、大日本帝国首相となった彼は「東亜新秩序」を打ち出し、米英本位の国際秩序に挑戦するのである。習近平もまた、同工異曲を奏でる。「少数の国が制定した『ルールに基づく』国際秩序」、つまりは米欧本位の法秩序の欺瞞性を批判し、「公平正義」を原理とする「新型国際関係」の構築を掲げるのである。

　ということで確認しましょう。**政治的リアリストの心得その1**「真理ではなく、権威が法をつくる」(ホッブズ)。「法は正義ではなく、強者の利益である」(トラシュマコス)。「法は正義ではなく、強者の利益の侵害である」(カリクレス)。いつの時代、どの共同体でも、制定されたルールというのは、「公平正義」を装いつつ、実は強い者の利益を保障するのである。これが、「政治=立法行為」の赤裸々な現実と心得よ。トラシュマコスとカリクレスの主張は一見すると対照的だが、時間軸を入れれば同一の命題と理解されよう。現行の法秩序は過去の強者(米欧)の利益を表す。よって、勃興しつつある未来の強者(中国)の利益の侵害なのである。

　現状、習近平は国連本位を謳い、自らを「国連憲章の断固たる擁護者」と称している。一見したところ、この態度は「公平正義」に思われる。しかしそれは、国連憲章の枠組みが、アメリカを縛る道具として役立つ場合——たとえば国連決議によらない制裁など、米欧の二重基準を批判する場合――に限られるのではなかろうか。プーチンの言い分に従って、NATOによる約束破りの東方拡大や、ウクライナによる横紙破りの忘恩が、ロシアの侵攻をやむなくさせたのだと仮定しよう。それでもなお、今回の事態が「ロシアによる国連憲章の明白な違反」であることは、G7首脳だけではなく、誰もが否定しえない事実である（たぶん）。で、中国の対応は？　アメリカを、戦争仕掛け人として非難しました。ロシアを非難することはありません。え、まじ？　習近平は「国連憲章の断固たる擁護者」じゃなかったの？　中国は、二重基準の「批判者」ではなく「実践者」でしたか！もちろん中国は、ロシアに対する「支持」もしていません。それをしたら、さすがにG7との対立が抜き差しならず、また中国の「新型国際関係」が「不公平・不正義」だと世界に公言することになりそうだから。よって「非難はせず、支持もしない」、これが国益にかなうという、なりふり構わぬリアリズムです。お見事！

ということで確認しましょう。**政治的リアリストの心得その2**「名君は、信義を守ることが自分に不利を招く場合は、信義を守るべきではない。信義の不履行を、合法的に言いつくろうための口実は、君主にはいつでも見いだせるものである」（マキァヴェッリ）。たとえ口実だと見透かされたとしても、断固言いつくろう、これがリアリストの掟だといえよう。彼らにとって、合法性は国益を守るための「道具」にすぎない。米英も中露も、相手を非難する際は「憲章違反」を唱え、自らの不履行に際しては「合法性の言いつくろい」に終始するのである。イデアリストとは異なりリアリストは、行動の基準を論理的な真偽、倫理的な善悪に求めたりはしない。有利か不利か、安全か危険か、基準はただそこにある。

ということで確認しましょう。**政治的リアリストの心得その3**「性善説にもとづくあらゆる政治思想は、誤りというより、むしろ危険である」（マキァヴェッリ）。ここには、リアリストの姿勢がよく表れている。彼らは、主義主張の「内容（＝真偽・善悪）」ではなく、事後的な「効果（＝損得・安否）」に関心を集中させる。正しいか間違っているか、良いか悪いか、これを何より重んじるのは「学者」であって「政治家」ではない。政治家の務めとは、国益の維持・伸張以外ではない。クリティカルな場面では、国益のために、あえて「偽かつ悪」を選択する「果断」が政治家には求められるのである。真偽・善悪については、事後的にいくらでも「言いつくろう」ことが可能であろう。この冷徹な合理性が、政治的リアリズムの核心にほかならない。対してイデアリストは、事前に真偽・善悪を思考し、「真かつ善」の実践を試みよう。ゆえに、皮肉を込めてリアリストはいう。「イデアリストが象牙の塔を降りるとき、彼らはまっすぐ断崖に向かって進む」。そのとおりかもしれない。イデアリストは、現実から遊離したアカデミーや知的サロンにおいて、ユートピア（＝真かつ善の理想社会）を設計する。その図面にもとづき、ユートピア建設を現実に実行するとき、ともすればそこに自壊的な暴力が発生するのである。これは、革命の歴史が明かすところであろう。イデアリズムの陥穽、それは「純粋さ」にある。「純粋さの危険」——これをリアリストは鋭く感知するのである。

リアリズムの落とし穴

では逆に、リアリズムの陥穽はどこにあるのか。リアルな国際関係において、国家はすべからく、国益の維持・伸張を図ってパワーゲームを展開する。あらゆる力、あらゆる関係性はそのための武器、道具にすぎない。経済力・軍事力のみならず、合法・非合法をめぐるレトリックもまた、先に見たように国益に奉仕する「手段」として駆使されることとなろう。冷徹果断な合理性、いわゆる「ライオンの勇気とキツネの狡知」（マキァヴェッリ）、これがリアリストの行動原理ならば、ではそのどこに陥穽を認めたらよいのか？　油断もスキもない彼らが落下する落とし穴は、どこに空いているというのか？

国益の維持・伸張、これがリアリストの自明かつ不動の目的ならば、彼らの活動する場はゲームフィールドということになる。先述のようにゲームとは、目的を思考せず、ただ手段の合理性を追求する者たちによって構成される。プレイヤーである限り、「得点」「勝利」以外の「目的」は存在しようがない。[*24] ならばリアリストの陥穽も見えてこよう。彼らは、国益のパワーゲームから降りることができない。というのも先に見たように、ゲームそのものを疑い、ほかの目的の存在を示唆する声——「ゲームやめ！　宿題！」——は、ゲームの外、リアルライフからしか聞こえてこないが、この国益追求ゲームはまさしく「リアルな世界」であり、その外部が存在しないからである。リアルの外に出るリアリスト——これはもうリアリストではない。マヌケである。

「なるほど」と、彼らは余裕をこめていう。「なるほど、我々リアリストは国益のパワーゲームから降りることはない。だが、それで何の問題があるのか（笑）。古来為政者たちはゲームを続けてきた。今後も続けていく。そのどこに問題が？」ということで、彼らに問題点を2つ指摘しよう。いずれも致命的であり、これがあてはまるとき、リアリストはおのれの落下を冷静に見つめたまま、奈落へと落下する。「囚人のジレンマ」を知悉する囚人が、にもかかわらず、ジレンマから逃れられないように。

問題とは、次の2点である。①大義、②時間とテクノロジー。ではまず、①大義から。

これまで取り上げてきたアクターを列挙しよう。アルカイダ、タリバン、ブッシュ、プーチン、習近平、近衛文麿、彼らはみな「大義」を、つまりは理念的な目的を掲げている。「神聖なるムスリム原理の復興」「悪の枢軸打倒」「世界史におけるロシアの役割と地位の擁護」

「中華民族の偉大なる復興」「大東亜共栄圏の建設」。パワーゲームのプレイヤーとして、リアリストであるべき彼らは、なぜイデアルな目的を必要とするのか。むろん、集団を導かねばならないからである。人々にとって、「国益の維持・伸張」は形式的な「フレーム」にすぎず、実質的な「目的」とはならない。たとえば、存続のために人間は「呼吸」を、資本主義は「成長」を必要とするが、しかし本来、それらは「目的」として掲げられるべきものではない。[*25] というのも、「呼吸」や「経済成長」は、それを前提に実質的な価値（＝

＊24　逆にいえば、プレイヤーが「勝利」以外の目的でゲームをする場合——たとえば、野球賭博に手を染め八百長を行う場合——、それを知る者は、彼を二度と「プロ野球選手」と認めることはなかろう。世間に知られれば永久追放であり、知られずとも彼自身は、おのれを「プロ野球選手」としてリスペクトすることは二度とできまい。目的が揺るがないこと、これがゲームとプレイヤーが存在するための条件である。

＊25　「本来」に傍点をつけたのは、現代日本ではその「本来」が通用しないからである。「呼吸」がオブジェクトレベルで直接的な目的となるのは、窒息死する寸前であろう。では、「成長」が、なによりも目的となっている日本経済もまた、「瀕死」というべきか。あるいは「成長」「資本の増殖」が自己目的化する、資本主義の本来的な倒錯を語るべきか。

　高度経済成長期、日本には巨大なＷＡＮＴ（欠如・欲求）が存在した。三種の神器（白黒テレビ・洗濯機・冷蔵庫）や３Ｃ（カラーテレビ・クーラー・カー）の有無は生活の質に直結する。国民はこぞってこれを

生活の具体的豊かさ）を追求するための「フレーム」「地平」だからである。大事なのは、三種の神器（白黒テレビ・洗濯機・冷蔵庫）による豊かな生活であり、高度な経済成長率を維持・伸張させることではない。

　よって、リアリストは「大義」を掲げることとなる。たんなる国益の伸長ではなく、大義こそが人々を結集させ、そして人々の結集は、リアリストに強大な力をもたらすからである。注意すべきは、国際政治の場合、そうした大義がともすれば「カウンター」「報復」を表す点であろう。先に掲げた大義の具体例は、ブッシュ政権のものを除き、すべて19世紀・20世紀における米欧支配への「カウンター」を意味している。そしてブッシュ政権のものは、「カウンター（＝9・11テロ）へのカウンター」にほかならない。報復感情ほど人々を結束させ、集団を戦闘マシーンにする方途はあるまい。踏みにじられた者たちが、自分たちの「存在承認」を第一の価値と見なすとき、つまり生命を賭してその実現を目指すとき、「報復の大義」が生まれる。事実、上記大義はすべて、戦争を遂行する理由として掲げられていた。[*26] テロリストもブッシュもプーチンも、人々を鼓舞して揺らぐことはない。おのれの使命を有無をいわせず遂行する。彼らは、大義に憑かれた「鬼」なのである。[*27]

　こうしてリアリストは、必然的に、自身の地盤を掘り崩すこととなる。パワーゲームのプレイヤーとして、「力」を欲する彼らは必ずや大義を掲げることとなるが、しかし大義は、その本質からして「損得・安否」に優先する。「命がけの存在承認」が現れたら、ゲーム的な功利計算は道を譲るほかはない。当初リアリストは、国益伸張の「手段」として大義を掲げたのかもしれない。だが、主客は逆転する。「目的」としてのみ、大義は存在しうる。

求め、大手メーカーはその需要に応えた。また、新幹線や高速道路をはじめ、必要なインフラ整備の要求が日本全国に存在し、「欠如を埋めよ!」という国民的欲求が、高度経済成長の推進力となったのである。だがいま、日本に巨大なWANTは存在するのか。それを完備することが生活の質向上に結びつく、そうしたモノやインフラはあるのだろうか。

少なくともリニアはちがうだろう。人口が急減しつつあり、またネット会議が浸透したこの国で、東京-大阪間の洗練された新幹線に並行して、「高速地下鉄」を走らせる意義がわからない。しかも、大阪の直前、奈良に絶対に駅を作ると頑張っている。まじ? 急停車? まじです。誰もこの慣性を止められず、リニアは整備され、奈良に途中駅ができるのであろう。奈良県民として歓びにたえない。

また、もう1点気になることがある。いま日本では「健康」「命」が、人々の追求するなによりの目的となってはいないだろうか。それらは本来「地平」であり、実質的目的を追求する際の土壌といえよう。ではなぜ、地平が目的となるのか。第一に、「健康」「命」を超える価値、死んでも実現したいという価値を、多くの人が見いだしえないからである。また第二に、人々にとって共通の基盤、「地平」としての宗教が失われ、死生観が希薄化・個人化したからではなかろうか。死に対し、独り覚悟するのは至難のわざである。よって、死への共同の備え(=宗教)が失われた現代人は、死そのものを視界から消し去ろうともがくほかはない。これが今日うかがわれる「健康」「命」第一主義ではなかろうか。そこには、茫漠としたニヒリズムが漂っるからである。「日露戦争の血を代償とした満蒙は、日本の生命線である」。なるほど、そう認めてもよい。とはいえ、「生命線」と「生命」を天秤にかければ、後者を優先すべきは自明であろう。対米戦争が帝国の崩壊を意味するならば、満蒙生命線は放棄しなければならない。だが、この簡単な合理計算でさえ、大義はそれを許すまい。近衛が首相の座を投げ出さず、かつ連合艦隊司令長官の言にしたがい対米戦争反対を断固続けたならば、やがて彼は暗殺され、史実どおりの道が開かれたのではないか。和平を推進したサダト（エジプト）やラビン（イスラエル）が、「アラブの大義」「ユダヤの大義」により、それぞれ内側から暗殺されたように。

以上、リアリストの陥穽を確認した。大義が駆動するとき、リアリストの合理計算は無効となる。だが彼がプレイヤーである限り、必ずや大義を掲げることとなろう。というのも、他のプレイヤー（対戦相手／チーム内ライバル）が大義を掲げているからである。リアリストは、不利を選択することができない。ゆえに、ゲーム理論が描く囚人と同じく、合理性のジレンマに没することとなる。彼には、この落とし穴がよく見えていよう。しかし、ゲームからは降りられず、穴から逃れるすべを知らない。

では次に、②時間とテクノロジーの問題。リアリストのいうとおり、古来為政者たちはパワーゲームを続けてきた。そしてむろん、合従連衡によるパワーバランスが永遠に続くことはなく、均衡は破れ、戦争が絶え間なく生じてきたのである。「戦争は他の手段をもってする政治の継続である」（クラウゼヴィッツ）とかなんとかいいながら、人類は愚行を繰り返す。「わかっちゃいるけど、止められない、止まらない」――「生活習慣病」の最たるものである。

＊26　ただし、「中華民族の偉大なる復興」を除いて。そして世界がいま恐れているのは、習近平のこの大義が、次の大きな戦争の誘因となることであろう。いわゆる「トゥキディデスの罠」が懸念されるのである。リアリズムの国際政治理論は、覇権国に対し次の覇権をめざす国家が挑戦するとき、大きな戦争の可能性が生まれるとする。トゥキディデスは、ペロポネソス戦争の原因を、アテナイの勃興に猜疑心を抱いたスパルタの動きに求めた。これにちなんで、覇権交代期に現れる戦争の危険を「トゥキディデスの罠」と呼ぶのである。中国政府は公式文書のなかで、その懸念を明記する。アメリカよ落ち着け、中米戦争は双方にとって不合理な選択であり、お互いその危険を自覚すべきである。では、戦争は回避されるのか？　むろん、誰にもわからない。習近平は「中華民族の偉大なる復興が、100年に1度の世界の大変局の重要な原因」だと述べている。覇権交代への意欲満々である。これに対しバイデンは、人権や民主主義的価値の擁護を対抗軸とする。互いに妥協の気配はない。しばらくは、「大義vs大義」の冷戦構造が続くのであろう。では、結局のところどうなる？　中国は自重する。アメリカを圧倒するだけの国力を得るまでは。また、その間は、ソ連のように内部崩壊することもない。この200年の国辱を絶対にはらす!!――この大義が、中華民族を結束させるからである。逆にいえば、アメリカを超えたとき、民族の揺るぎない栄誉を手にしたとき、中国共産党に真の試練が訪れるのではないか。もちろんこれは、推測に推測を重ねた未来にすぎないが。

るものが、戦争といえようか。いくどもいくども、リアリストは戦争に訴えてきた。とはいえ、時間が円環を描くとは限らない。同じものが、永劫に回帰するわけではない。不可逆的・加速度的に、テクノロジーが進歩するからである。歴史はいつか、臨界点に達し、大破局を迎えることにはならないか。テクノロジーは、破壊力を向上させる一方、抑止力を著しく低下させるからである。そうした特性は、戦争主体の非対称的な変容として現れている。

20世紀まで、戦争は正規軍同士による対称的な戦いであった。だが現在、先に見た「国家VSテロ組織」のほか、さまざまな非対称性が顕著となっている。米兵の日常は、対テロ戦争において、ビジネスパーソンのそれと変わらない。朝起きて、庭に水をやり、車で職場に向かう。デスクのPCを立ち上げ、鼻歌まじりにキーボードをたたく。すると地球の裏側で、山岳地帯に潜むテロリストたちが、無人機のミサイル攻撃で爆死する。お見事な非対称性。むろん、相手も黙ってはいない。反米国家もテロ集団も、ハイブリッド戦争を仕掛けることとなる。たとえばサイバー・アタックでは、核施設やヴァイタル・インフラが、どこの誰かもわからない敵からの攻撃で、いつ壊滅的なダメージを食らうかもわからない。また、キッシンジャーが恐れたように、自爆テロリストが大量破壊兵器を所有したら、報復の大義の下、その使用をためらうことはない。「アメリカ人よ、お前たちは、自分の命を大事に無人機を使う。だが、お前たちが生きたいのと同様、オレは死にたいのだ！」。こうなっては、冷戦期の抑止理論「相互確証破壊（mutually assured destruction：MAD）」など効くわけがない。どっちかが核攻撃したら、核の報復を浴び合ってお互い全滅だから、「恐怖の均衡」というＭＡＤ（相互確証破壊＝狂気）が成立する――おぞましくも、これが、国家間におけるゲームのルールであった。でも、もう無理です。やり返される「恐怖の歯止め」など効きません。あ、そもそも誰がやったかもよくわかりません。やったもん勝ちの世界が現れてきました。やはり、ＭＡＤです。

カタストロフィー前の方向転換――これが、撤退学の提示する目標であった。自己中心的アクターによる利益追求ゲームが、全体のカタストロフィーを招く構図は、核戦争だけではなく、地球環境問題にも通底しよう。問題の核心は、このゲームに「資本主義＆テクノロジー」という加速装置がついている点にある。よって、戦争ゲームの賭け金はつり上がっていく。クラッシュは大破局になりそうだが、悪いことに、プレイヤー（リアリスト）

＊27　人それぞれに鬼が憑く。これを、個人レベルで落とす作法については、以下の拙稿を参照。「学びの究極――鬼を脱落させる術の修得」（『山岳新校、ひらきました』所収、H.A.B、２０２３年）。そこで強調される鬼の特性とは、「他者に有無をいわせないこと」「必然の相の下に動くこと」、そうした厳格さである。

には、これまでいくどもクラッシュした前科がある。また、非対称性・匿名性にともない、ゲームに参加する敷居はグングン下がり、命知らずがガンガン参加中である。なお、このゲームには、降りるルールがありません。実際、カジノにこんなゲームがあったとして、誰が参加する？　だが現実世界では、人類全員がこのゲームに参加させられている。これは、実にユニークな事態ではなかろうか？

以上、本章冒頭に掲げた命題①について考察した。ホモ・サピエンスはいま、その名にふさわしく考えるべき時期にある。戦争・地球環境破壊（日本では、超少子高齢化・地方消滅・未曾有の財政赤字など、ほかにもいろいろ）、いずれの観点からしても、これまでの「生活習慣＝利益追求ゲーム」を続けるのは危険ではあるまいか？　クラッシュが起きたら大惨事で、クラッシュを回避する有効な手だては見つからない。で、ゲームは加速を続けていく。これは確かに危険であろう。危険？　ならば、リアリストはおのれの名誉にかけて、自らのあり様を刷新しなければならない。危険回避こそ、リアリズムの至上命題だからである。思うに、そうした刷新の作法は、本章冒頭で掲げた命題②において示されている。以下節を改め、リアリズムの変身を確認しよう。我々はそれを、メタリアリズムと呼ぶ。

2　世界の彼方、存在の側へ——鬼退治

前節でみた危険を回避するため、まずは「報復の大義」への対応を示す必要がある。大義に憑かれた鬼を落とさなければならない。ついで、利益追求ゲームの外部、リアルな世界の外部を明かすこととする。ゲームの外へと、降りる場所を確保しなければならない。意味世界を脱落させ、憑き物を落とす作法、これについては、すでに第2章【解決】で確認した。ここでは大義を素材に、その作法を再説する。

イスラム原理主義過激派もプーチンも習近平も、みな大義を掲げてパワーゲームを展開する。彼らは、不条理が許せないのである。たとえばプーチン。「ふざけるな！」と憤っているに違いない。国の内外に「裏切り者」があふれ、世界史におけるロシアの地位が脅かされている。旧東側の同胞たちは忘恩の末、次々とNATOになびいていった。「ウクライナよ、目を覚ませ！」と思い侵攻したが、思わぬ長期戦となる。それもこれも、NATOの卑劣な武器供与のせいだ。この戦争において、NATOこそ、勃発と長期化の責任者なのだ！

では問題です。こんな感じで怒っているプーチンですが、彼はいったい誰と戦っているのでしょう？　もちろん、ウクライナ軍です。それから、間接的にはＮＡＴＯですかね。でも、より根源的には、「世界」ではないか。その「不条理」が許せないとして。「栄光あるロシア」にふさわしい権威や権益が与えられていない、ロシアが流した血と汗に見合った地位が認められていない、世界の根源的な「不均衡」「不条理」（あくまでプーチン目線での）こそが、彼を動かす原動力だと思われる。

同じことは、原理主義過激派にも、習近平にもあてはまるだろう。「神聖なるムスリム原理の復興」「中華民族の偉大なる復興」、この大義には、「これまで自分たちが世界史を牽引してきた」という文明としての自負と、踏みにじられ、ないがしろにされたこの200年との「不均衡」が表現されている。我々イスラーム文明は、我々中華文明は、米欧のみならず、あろうことかユダヤ人に、あろうことか日本人に、蹂躙されたのである。この「不条理」を糺さずにはいられない、これが彼らの原動力といえよう。大義にとり憑かれた鬼は、その不均衡・不条理を理由に、世界と戦っているのである。均衡・条理をとりもどし、鬼を消し去るために。

さて、この見たてが正しいとすれば、彼らの過ちも見えてくる。究極の目的が、世界の不条理を糺し鬼を消除することにあるならば、プーチンたちは阿修羅のように、必敗の戦い、いを戦っているのである。もちろん、具体的な勝利を、オブジェクトレベルで達成することは可能だろう。ウクライナの征服、エルサレムの奪還、台湾の統合はなしうるかもしれない。だがそのときは確実に、新たな鬼たち、踏みにじられ怨念を抱く者たちが誕生し、跳梁跋扈をはじめよう。「ウクライナの尊厳と土地の回復」「約束の地、聖なる山の奪還」「台湾の独立と自由の勝利」、百鬼が大義を掲げ、夜行するのである。自らも怪物と化すこと、ニーチェがいうように、これが怪物と戦う際の安易な方法、はまりがちな誘惑ではなかろうか。「怪物と戦う者よ、鏡を見ろ。お前も怪物になってはいないか？」。たとえば、帝国主義（怪物）には国際テロ（怪物）で戦い、国際テロ（アルカイダ）には国家テロ（愛国者法）で戦う、こうしたやり方では、勝利はいずれにせよ怪物の側にもたらされよう。終わりなき戦いが続き、人の勝利は終に来ない。ゆえに、プーチンよ、ハマスよ、習近平よ、大志を抱け！　「ウクライナ戦争勝利」「エルサレム奪還」「台湾統合」、こうしたささやかな目標で満足すべきではない。君たちの究極の目的は、世界の不条理を糺し、鬼を消し去ることではなかったか？　ならば、その秘訣を教える。大義を掲げる者、世界と戦う者は、カフカの言を聞くがいい。

「君と世界との戦いにおいては、世界の側を支援せよ」。うへっ、と思ったならば、それは好ましい反応である。カフカのねらいの第一は、ずっこけにある。これまでの思考の流れ、自明視されたそのフレームを脱臼させること、ウクライナや台湾海峡をめぐる権謀術数から一瞬ハズレること、これがまず求められている。「知的思考」とは、疑われなかった思考の「フレーム」や「地平」を、改めて問い直すことだからである。カフカは、生み出された一瞬のハズレのなか、不条理の再考を促す。これまで人類は、オブジェクトレベルとメタレベルを混在させてきたのではないか。これを切り分けた上で、不条理な世界に対しては、二重の構えで戦わなければならない。思うに、これがカフカの主張である。以下、具体的に検討しよう。

まず、オブジェクトレベルでの不条理について。これはわかりやすい。快晴のある朝、オフィスビルに航空機が激突する。ビルの崩落。愛する息子の突然の死。たとえばこうした出来事が、それである。なぜ、こんなことがありえるのか。さっきまで一緒に朝ごはんを食べていたのに、晩はローストビーフのはずだったのに。なぜ、こんなことがありえるのか。ありえない。絶対にありえない。愛する子を突然奪われた者は、この世のリアリティを失う。意味の網の目としての世界がほどけ、上下左右は消え去り、ただ無意味に漂うほかはない。ハムレットのいう「世の関節が外れてしまった」状態、意味の重力場の喪失である。不条理の一撃は、人を浮遊者とする。この無重力状態から逃れ、リアリティある世界をとりもどすためには、出来事に意味の重みが与えられなければならない。友人は語り、牧師は語り、大統領は語っている。それに耳を傾ける。「神の試練」「無垢の犠牲」「報復」「聖戦」「愛国者法」「無限の正義」「悪の枢軸打倒」——こうした意味づけを受け入れるとき、重力場が再び与えられよう。アメリカには、神から与えられた崇高な使命がある。尊い犠牲を払いつつも試練に耐え、その使命を果たさなければならない。ならば、息子の死にも意味があったはずだ。その意味を成就させるため、大統領の下、アメリカは結束しなければならない。我々は愛国者だ。反論など、誰にも、なにも言わせない。こうして揺るがぬ大義と、ひとりの鬼が生まれるのである。神の摂理とするか因果応報とするか、いずれにせよ出来事のすべてに意味が与えられれば、世界からは根源的な不条理が消え去るほかはない。そしてカフカは、これを恐れるのである。不条理は、維持されなければならない。

なぜか。不条理の消滅とともに、「生きること」も、「神」も、同じく失われるからである。この点について、時代劇『水戸黄門』で確認しよう。悪代官と越後屋の悪辣非道は、今週も、ご老公一行によって見事に退治された。格さんが印籠を出し、決めゼリフを発する。「えーい、ひかえおろう！　この紋所が目に入らぬか！」。さて、このおなじみのシーンが発生するその前日に、悪代官と越後屋が、餅をのどにつまらせて死ぬことはない。そんなマヌケは、絶対に許されない。ドラマの世界が壊れるから。悪は因果応報によって、脚本家の摂理によって、正しく「成敗」されなければならない。餅をうっかりのどにつまらせる、『水戸黄門』では、これはただ「うっかり八兵衛」にだけ認められた特権であろう。いや、だが八兵衛の場合でも「うっかり」は、ドラマの次の展開への呼び水や伏線として位置づけられている。ドラマのなかでは、すべての出来事に意味があり、偶然性は存在しない。だまされてはいけない。うっかり八兵衛は、うっかりできないのである。もし、神の摂理であれ、因果応報であれ、何らかのシナリオがこの現実世界を制御しているとしたら、人間はみなドラマの登場人物とならざるをえない。すなわち、「生きる」ことができないのである。逆にいえば、人間が生きられる世界とは、純粋偶然の世界であり、マヌケやうっかりが生息可能な環境ということとなろう。次の瞬間、すべてが起こりうる、不条理な世界である。現実世界にも確かに「因果」はある。餅がのどにつまれば（因）、死に至る（果）。だが、「応報」はない。その人が、「悪」だから「罰」が下されたのではない。餅をのどにつまらせての死は、単純にマヌケであり、うっかりなのである。

　世界の根源的な不条理、これが人間の生存条件である。それは同時に神が、その名に値するための条件でもあろう。もし、この世界が、没価値的な因果法則――重力は距離の自乗に反比例する――だけではなく、人間的価値に関わる道徳法――悪は裁かれ、善は報われる――にしたがうならば、これを司る神は、倫理的に、人間以下に堕落する。というのも、神は人間たちの人格を、道徳的秩序のための「手段」として扱っていることになるからである。裏側から確認しよう。我々は生きている（たぶん）。では、越後屋もまた、生きていたとすればどうか。ドラマでは演じられないが、彼にも50有余年の人生があった。生国越後で、過酷な少年期を過ごす。妹お春と2人、逃げるように江戸に出たが、極貧のなか、やせ衰えて死んでいくお春をみとり、大義を知る。「金は力なり！　力は正義なり！」。以後、鬼と化した彼は、権謀術数をほしいままにのし上がり、悪代官を懐柔して暴利をむさぼっている。格さんに印籠を突きつけられ、「ははーっ、恐れ入りました」と土下座するまでは。では、越後屋のこうした人生が、神の摂理、神が書いたシナリオだったとしたらどうか。むろん、越後屋はなにも知らない。だが、神自身は知っている。ならば神は、自分の卑劣さに恥じ入ることとはならないか。おのれの内なる裁判官の眼をごまかすことはできない。神の心に、越後屋の叫びがこだましよう。「オレはお前の道具ではない！勧善懲悪のための道具ではない！　絶対許さん！　お春は、お春は、生きたかったのだ！」。神は自己嫌悪に沈み、浮かび上がることができない。[*28]

*28　神仏は、人間的な善悪の彼岸に立つ。だが多くの人は、これを受け入れることができない。善の側にあるはず、という思いを断ち切れないのである。そうした思いを揺るがすのが、この世から消えない不条理な出

以上、この世界の不条理と、「人が生きること」とが一体不可分であり、それはまた、神を「善悪の彼岸」に立たせることを確認した（註28参照）。「天道是か非か」（司馬遷）「不合理なるがゆえに我信ず」（テルトゥリアヌス）、こうした詠嘆は、確かに悲痛である。この世では、しばしば悪が栄え、善が滅びる。天の差配、神の摂理がみえず、なぜこうした不条理が生じるのか、どうしても理解できないのだから。だが、天も神も、オブジェクトレベルで直接的に善悪に関与することはない。「沈黙」「隠れたる神」、これが、神的なものの必然ではなかろうか。では、メタレベルについてはどうか。考察がそこに進むとき、すべての様相が変わってこよう。人は不条理に憤るとともに、これを肯定し、神仏は倫理にかかわるのである。以下、そうしたメタ次元について考察する。

完全性の反復

まず、人間と不条理との関係だが、これについては、すでに論じたに等しい。この世界が純粋偶然であること、マヌケやうっかりにあふれていること、これが人間の生きる条件であった。ゆえにそれを、おやおやと苦笑のうちに肯定するのである（「苦笑」については、第2章【解決】を参照）。むろん、オブジェクトレベルでの、具体的な不条理を受け入れる必要はない。不当な詐欺にあったら、息子が殺されたら、戦うほかはない。だが、息子が無意味に殺される偶然性を、後だしジャンケンの可能性を、つまりは不条理な世界を、歓迎しつつ戦うのである。その場所以外に、人間の住処はないのだから。こうして、カフカの

来事であろう。なぜ、善が滅び悪が栄えるのか？　これをどう考えるべきか？　神仏は、善の側にあるはずなのに。

我々はいま、「弁神論」の問題系に入っている。古来キリスト教神学では、悪の現実存在と神の全能性との矛盾が、弁神論として議論されてきた。この問題は一般に、「自由意志」ならびに「審判」という観点から解決される。しかしそうしたやり方で、本当に問題は解消されるのか。以下「最後の審判」「閻魔大王の裁き」、この2つのケースから問題の核心を確認しよう。

一見したところ、人間の「自由意志」と「最後の審判」を導入すれば、弁神論の問題は解消される。脚本家のいるドラマとは異なり、人間には自由意志があり、善悪正邪さまざまな行為を自ら選択し、そのすべてが、最後の審判で裁かれるのである。よって、この世の悪や不条理は、神ではなく、人間の責任に帰せられることとなる。神は人を愛し、自由意志を与えた。だが、人は神を裏切り、悪に走ったのである。洪水や地震などの災害もまた、神を裏切った人間への裁きとして意味づけられよう。そして、最後の審判の後、善人は復活して神の国に入り、悪人は地獄の業火に焼かれ続ける。こうして、「神の正義」と「不条理な出来事」「悪の存在」とは、矛盾なく両立することとなる。これが弁神論における、オーソドキシーの解決法にほかならない。

しかしその場合、なぜ全能の神は、いまここにあるこの世の悪を放置しているのか？　ドストエフスキー

語るパラドクスの意味が明らかとなる。「君と世界との戦いにおいては、世界の側を支援せよ」。世界と戦う者は、その根源的不条理と戦うのであった。ゆえに、「世界への支援」とは、その「不条理の肯定」を意味しよう。カフカの言は、次のようにいい換えられる。「不条理な世界を歓迎しつつ、世界の不条理と戦え」あるいは「不条理な場を肯定しつつ（メタレベル）、不条理な出来事と戦え（オブジェクトレベル）」。なぜ、そうすべきなのか。鬼たちよ、知るべし。肯定された不条理は、もはや不条理ではない。不条理は、それを拒絶する限りにおいて存在するからである。苦笑による世界のまったき肯定（＝すべてが、マヌケたちの右往左往である）——これが、世界から根源的な不条理を落とす作法であり、同時にそれは、怪物ではなく人間に勝利をもたらすわざではなかろうか。世界との戦いにおいて、勝敗の機微はここにある。もちろん、その後もなお、不条理な出来事は生じ、戦いは続くだろう。だがもう、鬼が生まれることはない。不条理から不条理性が、抜け落ちたからである。

　では次に、神仏について。これまで論じてきたように、神仏が善悪を選別し裁くならば、軽蔑の対象となるほかはない。では、神仏と倫理は、まったくの没交渉、無関係であるのか。これも、否であろう。たとえば『歎異抄』。「善人なおもて往生をとぐ、いわんや悪人をや（善人でさえも救われるのだから、まして悪人が救われないわけがない）」。親鸞の言葉に裁きはない。だが、人々への「呼びかけ」(appeal)は感じとれよう。倫理の本質とは、そうした「呼びかけ」ではなかろうか。親鸞は招いている。大丈夫、絶望しなくてもいい。みな救われているのだから。阿弥陀の本願、生きとし生けるものを救うという、有難き本願

『カラマーゾフの兄弟』のイワンは、こう問いかけるのである。子どもへの虐待は、いま起きている。なぜ、その場で対処しない? どうして歴史の終わり、最後の審判まで待つのか? む? のちの世の天国で、すべての苦しみは贖われる? 子どもたちは幸せに暮らし続ける? 冗談じゃない! 倫理は、「いまここ」「この私」がすべてなのだ。子どもたちは、悪を裁く「道具」ではない。天国で大団円するための「道具」ではない。神よ、私は、あなたによる救いを拒否する。天国行きのチケットを、謹んでお返しする。のちの世の救済など、いまここで、子どもが流す涙一粒の重みにも値しない。イワンにこうなじられた神は、沈黙を続けるほかはあるまい。ここで、ドストエフスキーと越後屋の見解は一致する。

では続いて、「閻魔大王の裁き」について。イワンの詰問が厳しいのは、神がキリスト教の文脈、すなわち「全知全能かつ善なる絶対者」だからである。そうした完全無欠の存在ならばこそ、「いまここで、子どもの涙をほっておき、そのあとで、えらそうに裁く神」が、倫理的に最低な輩となってしまう。では、全能ではなく、善でもなかったとしたらどうか。ということで、閻魔大王の登場である。彼は、この世に関心もなければ、全能でもないとしよう。亡者の魂をのぞき、善の履歴があれば極楽へと、悪の履歴があれば地獄へと送致する、ただその役割に忠実なのである。しかしこの場合でも、「裁き」には倫理的に瑕疵がある。第一に、インフォームド・コンセントがない。魂はこの世へと受肉する際、死後の裁きについて説明を受け、納得する必要があろう。これが、フェアネスだとはいえまいか。むろん、この説明は生きている間中、記憶

は成就している。「完了形」（Perfect Form）なのだ。もう、済んでいるから、大丈夫。

あるいはまた、『教会教義学』。カール・バルトも呼びかけている。「予定説」について、「天国は開かれ、地獄は閉ざされている」と書く。地獄行が予定された者など誰もいない。地獄を見てごらん。きっとがらんとして、誰もいないよ。裁かれる者など、いやしないのさ。そしてこの約束はね、「神によって、イエス・キリストにおいて、すでに実現されているから」と説くのである。ここでもまた、「完了形」が呼びかけの要となる。不安は未来にかかわっていよう。この先の不分明、何が起きるか分からない、これが不安の核心である。よって、安心は「完了形」で語られる。たとえばこんな風に。もしもし。お尋ねの「救済」ですが、すでに完了されています。あなたの《存在》は、Perfect Formで、つまり完全な形で、マルゴト肯定されています。だから、この先どんな不条理に襲われても大丈夫。だって、もうPerfectですから。完全は完全として、反復します。欠如を埋めるのではなく、神のように、反復するのです。

どうだろうか？　こんな風な呼びかけが、神仏による倫理的な関与ではなかろうか。整理しよう。宗教的超越者（神仏）は、人間的倫理に関わるが、それは以下のような原理にもとづいてである。（ア）存在者（動植物・モノを含め）を差別しない。（イ）善悪正邪等、人間的価値や意味には関与しない。（ウ）世界（＝意味連関の総体）内部の出来事には関与しない。え？　じゃあ、なにかすることとはある？　暇じゃね？　いや、無限にすることはある。第2章【解決】で確認したように、存在者はすべて、神仏を含め、何の意味もなく、原因もなく、マヌケに存在してしまっている。このマヌケを、世界の外、意味の外部で、

されていなければならない。死んだとき、はじめて思い出すというのは、後だしジャンケンに等しい。でもって、いま実際に生きている我々には、そんな説明を受けた記憶はない（ですよね？）。よって亡者は、なにも恐れる必要はない。もし、裁きの場に召喚されたら、「これは詐欺だ！」「裁かれるべきは、お前の方だ！」と訴えれば、それでよいのである。

また第二に、「品性」の問題を指摘できよう。アメ（極楽）とムチ（地獄）により、人に因果を諭し応報を科すシステムの品性について、どう考えたらよいのか。「下劣」というほかはない。人の魂をもてあそんでいる。神仏がその名に値するなら、まず自ら、このシステムを破壊すべく戦うべきであろう。「善人なおもて往生をとぐ、いわんや悪人をや（善人でさえも救われるのだから、まして悪人が救われないわけがない）」、この悪人正機こそ、神仏にふさわしい。よってこれを標語に、「因果応報システム」に対し反乱を起こすのである。そうした動きなしに、鬼たちが、地獄行の亡者を薄笑い、神仏がそれを黙認するならば、イワン同様、我々は極楽往生を拒否すればよい。無間地獄のなかで永遠に、「神仏よ、お前たちは下劣だ」と言い続けるのも、また一興ではなかろうか。いずれ裁きがあるとしたら、それは侮蔑にのみ値する。人を超えた力をもつ神仏が、オブジェクトレベルで直に善悪にかかわるとき、人間以下へと堕落するのである。これは、必然ではなかろうか。

熱烈に肯定するのである。人間的な価値や意味など、どうでもいい。ヤクタタズやロクデナシでぜんぜんOK！　ただ在るだけでよいという呼びかけを、人間たちに発し続けるのである。神仏は、人間の行為を裁かない。《存在》の肯定だけを、我々に呼びかけるのである。

思うにこの神こそ、カフカのテーゼを生きる者の支えであろう。存在がある、私がいる、この圧倒的なマヌケを苦笑しつつ歓迎する者は、いかなる不条理に対しても、鬼に頼らず戦うのではないか。カール・バルトは語っている。「キリスト者はこの世の出来事に対し、最後から一つ手前の真剣さで、真剣に戦う」。ここには、完全性の反復、すでに救われている者の戦い、そのあり様が示されている。究極の真剣さで向き合うべきこと、それはこの世界には存在しない。神の愛は、存在のマヌケ同様、この世を無限に超越する。その愛の成就・完了を確信する者は、この世の不条理に対し、どうしても「最後から一つ手前の真剣さ」で戦うこととなる。そうしたバルト的な戦いは、彼とナチスの闘争のように、命がけともなりえよう。だが同時に、幸福な者による幸福の反復以外ではない。ナチスが破壊できるのは、所詮世界内部のことにすぎないからである。

メタリアリズム

では最後に、これまで考察したカフカのテーゼがリアリズムに適うことを確認する。リアリズムの眼目、そのアイデンティティは「危険の回避」にある。にもかかわらず、利益追求ゲームの合理的アクターとして、賭け金がつりあがる危険なゲームから脱出できない点に、従来のリアリズムの致命的な欠陥をみた。ゆえに、求められているのは、大義を相対化しその暴走を食い止める作法であり、また、ゲームの外部へと降り立つ手順である。既述のように、カフカのテーゼは、この両方をみたすものであろう。世界の側を支援し、その不条理を歓迎する姿勢は、大義を相対化し、鬼を落とす。そのとき、リアルな世界の外部が明かされていよう。意味が脱落したならば、《存在》が、マヌケのまま輝くのである。これもなお、1つのリアルではあるまいか。リアルな領域の、メタ次元への拡張である。

そしてむろん、不条理の肯定は、不条理との戦いの放棄を意味するものではない。逆である。隣国に侵略されれば、また、後だしジャンケンされれば、断固として戦うのである。

というこどで、審判や地獄など恐れることなく、人はのほほんと明るく死ねばよい。もし、死後にこの私の意識が継続し、来世が存在してしまったらどうすべきか。まず、爆笑であろう。で、戦えばよい。

ただし、最後から1つ手前の真剣さにおいて。思うに、幸福な者が幸福のまま戦うことほど、強く不屈な戦いはあるまい。パワーの追求がリアリズムの本性であれば、この強さ不屈さを手にすることもまた必要ではなかろうか。それが完了するとき、メタリアリズムが誕生する。

3 【展望1】宗教と政治との新たな連関

では、本章をプーチンに読ませたとしたらどうか？「君と世界との戦いにおいては、世界の側を支援せよ」「勝利のために、マヌケを目指せ！」、こうした呼びかけに、彼は心を動かされるだろうか？　たぶん、無理です。おそらく、怪しげな新興宗教ぐらいにしか思わないであろう。そして確かに我々は、新しい「宗教と政治との関係」を提起したいのである。宗教は、人間にとって究極の価値（＝神仏の呼びかけ）にかかわり、政治はこの世界の秩序にかかわる。両者の関係は、これまでのところ基本的に2種類に分かれよう。①神権政治：宗教と政治との直接的な接続。これは、政治の使命を、神の意思のこの世での実現に認めるものである。②世俗主義：宗教と政治との分離。神々の戦い（＝宗教戦争）を避けるため、ウエストファリア以来、これが近代政治の常道となった。その結果、政治的リアリズムは、この世界の事柄のみを追求し、世界の外部、究極の価値が見えなくなったのである。これが、リアリズムの狭隘《きょうあい》を生む。

よって我々は、宗教と政治について、第3の関係を求めたい。③メタリアリズム：宗教と政治との間接的な接続。宗教の究極には、「すべてよし」というオイディプス的肯定、「存在と生成」のまったき肯定があるのではないか。こうした「一切無差別」を前提に、倫理や政治を、すなわち「差別的価値の関係性」を捉え返すことはできないだろうか。おそらく、これは人類にとって最も困難な事柄である。「すべてよし」と「AではなくB」とをつなげること、「存在の全的な肯定：宗教」と「選択的な価値：政治」とをつなげること、これはどうすれば可能なのか。しかし、前例が皆無というわけではない。「ナチスではなく民主主義」という政治的選択を行い、闘争し、かつ「地獄は閉ざされている」と語り、「存在の全的な承認完了」を告げること、これは確かに可能だったのである。[*29]「大義」や「鬼」

＊29　カール・バルトの予定説からすれば、「天国は開かれ、地獄は閉ざされている」のだから、アドルフ・ヒトラーもまた、天国へと招かれることとなる。これを認める（メタレベル）とともに、ナチズムと命を賭して戦うこと（オブジェクトレベル）、この2つの次元の両立こそが、メタリアリズム、すなわち宗教と政治の新た

を発生させない政治、「最後から一つ手前の真剣さ」で行う政治、我々はこれを探究するであろう。

思うに、こうした政治（＝メタリアリズム）には、第1章【問題】で取りあげたヴォルテールやスミスの立場（＝撤退的知性）を深化させる意義がある。ヴォルテールは「君のその意見には反対だが、君がその意見を言う権利は命がけで守ろう」といい、スミスは「公平な観察者」を唱えた。両者は、オブジェクトレベルに埋没するのではなく、そこからステップバックし、メタレベルにも同時に立つあり方を求めている。これが、政治的・社会的な「寛容」と「公平性」をもたらすからである。同様に、メタリアリズムは、世界を生きるとともに脱落させて生きることを要請する。こうした《二重性》の深化により、寛容と公平性が更新されるのではなかろうか。いま世界は、報復の大義にあふれている。加速するテクノロジーを武器に、怪物たちが跋扈するのが現代であれば、いま何より必要なのは、寛容と公平性の深化のように思われる。怪物の《存在》もまた受け入れること。虐げられた者のまったき「存在承認」を拡げること。世界の外に立つがゆえに、世界内部の出来事すべてに対し公平であること。こうしたあり方が、いま何より大事ではなかろうか。ホモ・サピエンスよ、その名に値したければ、いま一歩世界の外へと、撤退しなければならない。[*30]

以下、今後の課題を展望する。「宗教と政治の第3の関係性：メタリアリズム」を探究するため、我々は、さまざまな宗教のうちに、「完全性の反復」というあり方を見いだしていきたい。そして、それを政治思想化するのである。たとえば、日本では「禅」が対象となりえよう。というのも、禅は、意味世界を脱落させ「真空無相」（一切無差別）の境地

な接続なのである。それは、「大義」や「鬼」を生まない戦い方、少なくとも、自らは決して怪物とならない戦い方といえよう。

＊30　撤退的知性は、近代的な政治の捉え方に対し、根本的な態度変更を要請するものである。マックス・ヴェーバーが強調したように、近代は、「この世界（此岸）だけで完結する政治」を前提とする。「この世界の外部（彼岸）としての神の審判」を想定せず、政治を宗教から切り離し、結果として政治家には「責任倫理」が課せられることとなる。この「責任倫理」とは、政治家に対する評価基準を、「誠実さ」や「意図の善さ」ではなく、「現実にもたらされた結果」に求める考えであり、近代において、最終的な結果責任の主体が、神から政治家へと移動したことをあらわしている。理念ではなく現実、意図ではなく結果、この冷徹なリアリズムこそ、近代における政治のゆるぎない地平にほかならない（以上の点については、第Ⅱ部第4章イエス論2「政治と文学、あるいはマキァヴェッリとイエス」を参照）。
　これに対し、撤退的知性が提示するメタリアリズムは、再び、「この世界だけでは完結しない政治」を要請する。「この世界の外部としての《存在》」を前提に、「政治＝国益追求ゲーム」を捉えかえすのである。ただし、前近代の宗教とはことなり、世界の外から発せられる声は、オブジェクトレベルでの善悪に関わるものではない。「善き社会の構想」を、具体的に提示するわけでもない。ただただ、存在者の肯定が促され、その「完了」が告げられるのみである。だが、空しくはない。政治的に空疎と言いきることはできない。我々

に立ち、しかも同時に「真空妙有」（無差別における差別的個々の肯定）を実現させるからである。これこそ、《二重性》の範例であり、撤退的知性の範例ではなかろうか。それでは、禅は政治思想たりうるのか、これが課題となる。慈悲行を核心とする大乗である以上、禅にも当然の社会的志向性を看取できるが、禅が近代日本で果たした政治的役割を思うとき、大いなる疑問も浮上しよう。禅は「無の思想」として、日本的無責任の枢軸だったのではないか。オブジェクトレベルに埋没しない政治思想、「一切無差別」の境地に立つ政治思想は、実践として有効でありうるのか？　我々は「ありうる」という答えを提示したい。

4　【展望2】学と道との新たな連関

今後撤退学は、「学」と「道」との新しい結びつきにより、学術をその近代的基盤から揺さぶるムーヴメントを志向する。「禅」をはじめ、「仏道」「神道」「茶道」「華道」「武道」などの「道」を、撤退的知性の実践として社会化しなければならない。一般に「学の変革」といえば、分析的知性によってとめどなく細分化する専門区分を越境し、協働するイメージであろう。むろん、撤退学もその意味での融合を実践する。撤退学は現在、政治学・歴史学・人類学・地理学・社会学・芸術学・建築学・観光学等々、多彩な領域の研究者たちが参画している。だが、大事なのはそこではない。学際性ではなく、これまでとは異なった次元での学術の転換こそを企図するのである。

近代は「学び」を2つに分割した。一方に大学を基盤とするアカデミズムが、他方に仏道・神道・茶道・華道・武道等の「道」がある。前者は、それぞれの領域（政治・経済・心理・人体・天体・土木等々）で現象の分析・解明・制御を目的とする。たとえば経済学は、マーケットの動向を分析してインフレの制御を図り、物理学は核分裂の仕組みを解明して巨大なエネルギーの活用を図るのである。これらはすべて、分析的知性の働きといえよう。対して「道」の場合は、知の働き方がまったく異なっている。それぞれの領域内で現象を扱いつつも（茶をたて・花を活ける）、その目的は茶器の分析や植物の制御ではあるまい（たぶん）。思うにそれは、世界と自己との関係性にある。関係性を整えること、これが、仏道から派生した「道」の目的にほかならない。撤退学は「惰性・慣性の力」の諸相を具体的に解明し、そこからの脱出可能性を探る試みである。すなわち、世界と自己との関係性を整え直

が、もし実際に《存在》の声を聴きとれたとしたら、ただそれだけで、地球上の全表面が変わることであろう。政治から大義が消え、地上から鬼が消えるのである。

す試みである。これは、近代以降「道」に託された課題を、アカデミズムが学び直すに等しい。現代世界の危機の本質は、巨大な「生活習慣病」にあった。また、「生活習慣病」に対し、対症療法的な処方箋を繰り返すところに、惰性・慣性の病を認めたのである。ならば我々は、長年「道」が紡いできた知見をもとに、世界と自己との関係性を整え直さなければならない。「生活習慣病」の根本治療は、それしかないのだから。ということで、これまでの「生のスタイル」から撤退するため、「学」は「道」との再融合を目指すこととなる。以下、「新しい学びの場の創設」という観点から、その構想をラフスケッチする。

社会を根本から変えようと考える者は、必ず教育に焦点をあてることとなろう。徳川の世から明治へ、大日本帝国から民主国家へ、いずれも大きな変革期には、教育の意味や制度もまた大きく変貌したのである。社会を変えるには、人々の価値観・行動様式を変えなければならない。それを担うのが、教育改革ということとなろう。さて、その変革期の明治、この時代の学校建築は、なぜあんなに佳《よ》いのか？　そうした思いを抱いたことはないだろうか。村の小学校であれ、町の師範学校であれ、明治の学校には、「知」に対する若いあこがれが、木造の学舎に具体化されている。思うに、教育の核心は aspiration（吸引・憧憬・願望）にある。学び舎に集う人々が、真・善・美を求めて背筋を伸ばし、深く息を吸うこと、「仰げば尊し」とあこがれること、希望・大志を抱くこと、それが aspiration

である。かつて日本の学舎は、その具体化として存在した。人は学ぶのが好きである。近代が舞台の小説・映画では、繰り返し「学校に行きたい・行かせたい」という思いが描かれている。「自分はその夢を果たせなかった、せめて弟には、妹には、その夢をかなえさせたい。学費はなんとしてでも工面する」。その時代、学校には強い吸引力が存在したのである。それはなぜだろうか？　また、その吸引力は、いまどうなってしまったのか？

人は学ぶのが嫌いである。長年大学で働いていると、そう思わざるをえない。せっかく受験勉強から解放されたのに、自発的に学ぼうとする学生たちは少ない。課題はそつなくこなす。だが、大学や知にaspirationを抱く学生は皆無に等しい。むろん、問題は学生だけではなく、大学教員も同じである。学ばないし、学べない。この20年、教員に研究をさせないための工夫（中期目標等の書類作成、研究費獲得・執行の書類作成、教育質保証のための縛り等々）が、着々と成果をあげてきた。かつて大学では、「面白い」ことと「正しいこと」があれば、全員「面白いこと」を優先しただろう（そもそも本当に邪なことは面白いわけがない）。だがいま、「正しいこと（＝コンプライアンス！）」が、すべてに優先されるのである。大学は官僚的組織となった。そして多くの大学から、aspirationが失われたのである。学生も教員も社会的評価（就職先・志願者数・外部資金獲得額・大学ランキング等々）に汲々とし、社会適合だけを目指すのだから、これは当然の結果といえよう。私の経験では、大学に

aspirationを抱くのは、中高年となって社会人入学した学生だけである。彼ら彼女らは、実に熱心に、真摯に、楽しく学び直している（ように見える。むろん、全員ではないが）。

では、こうした事実からなにがわかるか？　学ぶのが好きな人と、嫌いな人との違いとはなにか？　思うにそれは、「再帰的（re-）」かどうかに見いだしうる。「自分が生きること」と「学び」とが、再帰的に関係しているかどうか、これが、「目的」としての学びと、「道具」としての学びを分けるポイントではなかろうか。リカレント教育を受ける社会人が、再帰的であることはわかりやすい。定年・転職等、人生の転機において、これまでを振り返り、新しい人生につながる学びを求める。そこで身についた知が、新たな人生を照らすのである。「人生―学び―人生」という形で、両者が再帰的に関係するとき、新しく得られた知は人生の指針となる。これが「目的」としての学びであろう。「自分が生きる」ことの目的と、学びが不可分なのである。

こうした再帰性は、個人を超えた枠組みとしてであれば、明治の学びにも認められる。親や長兄の人生、祖父や曽祖父の人生、それは身分制の縛りのなかにあった。そこから脱出し、高等教育を受ける。それは必ずや、明治の新しい世で、「自分が生きる」こととつながるはずである。真・善・美にふれ、人生の意義を知り、社会進歩に貢献する（ように思いなす）。大学での学びは、人生の目的と再帰的に関係するのである。「身分制の人生―

うか。

学び—自分の人生」、この連関が、明治の学校にaspirationをもたらしたのではなかろ

これに対して、現代の一般学生は、「自分が生きる」ことと大学での学びが関係しない。多くの学生は（むろん、学生だけではないが）、なんとなく「ヒトの人生」を生きている。「まあ、大学っていくものだよね」「偏差値こうだから、この大学かな」「就職はしなきゃね」「外せないよ、インターンは」「新卒一括採用？ まあ、しょうがないよね」。こんな感じ。こんなんだから、大学での学びは、大卒就職のための単位取得プロセス、つまりはたんなる「道具」となる。「いい会社に就職する」、それは「ヒトの人生」における価値であり、「自分が生きる」こととは関係しない。学生たちも、こうした批判をよく理解してはいるが、しかし「まあ、しょうがないよね」って感じで、「ヒトの人生」を続けていくのである。

よってやはり、必要なのは「知性＝浮力」ということになる。社会通念で固定された「ヒトの人生」、惰性・慣性のまま続く「ヒトの人生」からふわっと浮き上がり、「自分が生きる」へと撤退する力、それが知性ではなかろうか。ということで、我々撤退学のやるべきことが見えてきた。「人生—学び—人生」という再帰的サイクルにおいて、これまでの生を脱落させ、知が新しい生の目的と関係していくこと、そんな学びの場をつくるのである。

以下3点、「学」と「道」が融合する知の場所について、その構想を提示する。

（1）まずは撤退：学から道へ

そうした場所は、文科省管轄下の学校では困難に思える。たとえば大学でも、人はいかに生きて死ぬべきか、倫理学や死生学を教えてはいよう。しかし、専門の倫理学者が、倫理的に優れた人格者かどうか、人生の師となるかどうかは、まったく別問題である。これが、近代アカデミズムの基本的な構えであろう。倫理学者は、古今東西の倫理思想に通暁する。同時に本人は、品性下劣なエゴイストかもしれない。だが、「知る」ということと「行動する」ということを、そんな風に分けてしまってもよいのか？　ということで、考えてみよう。イエスの思想を知る、イエスを理解するとは、どういうことか？　それは、「イエスと同じように動く」ことではないのか？　麗しい言葉でイエスを称えたり、あるいは逆に、彼を統合失調症の夢想家と分析したりではなく、イエスと同じように、隣人愛の具体的な実践を行うこと、人はただそのときに「イエスを理解」しているのではないか？　だが、近代アカデミズムは、「自分が生きる」ことと「知識としてのイエス」とを区別してあつかう。[*31]知行分離、これが近代的な「学」の作法であれば、これと対照されるのが「道」であろう。茶道の知に習熟する者とは、来客を結構なお点前《てまえ》でもてなす実践家以外ではない。茶器に詳しくお点前ぼろぼろ、こんなお師匠さんも存在としては愉快だが、もはや茶人とはいえまい。知行合一、これが「道」の作法である。よって、まずは撤退しよう。我々は、「自分が生きる」ことと「知」を関係させたい。だからさしあたり、文科省管轄下の大学から撤退し、「道」の門をたたくのである。

(2) 道への呼びかけ：脱神秘化はいかがですか？

自分の内と外、世界の内と外とを往復する「撤退的知性」は、すでに「道」において実践されている。たとえば宮本武蔵。彼の有名な言葉を引こう。「観の眼強く　見の眼弱く　遠き所を近く見　近き所を遠く見る事　兵法の専也」。「見の眼」が、目の前のモノを見るオブジェクトレベルでの「視覚」ならば、「観の眼」とは、メタレベルでの認識、自分を

＊31　もちろん、多くの思想史研究者は、研究対象の思想と「自分が生きる」こととが関係せざるをえなくなる。だが、近代アカデミズムのいわゆる「知的禁欲」「没価値的な客観性」のもと、それらを切り分けて論文を書き、学生に講義するのである（もちろん、人によりますけど。自分とニーチェの区別がつかなくなって語り倒す人など、結構いますけど）。

含めたその場全体を認知するわざであろう。自己からの離脱こそが、武道の極意であるらしい。

また、先にふれた禅も「大死一番 絶後再蘇」という。まずは、死ななければならない。ただ、死ぬのである。自己と世界の滅却。無。これが「大死一番」である。その、死に切ったところから、無から、無として、新しい自己がよみがえる。これが「絶後再蘇」である(と思う)。ここにある「生—死—新生」という働き、これはまさしく「自分が生きる」という学びの究極、再帰的サイクルの究極であろう。死において「真空無相」(一切無差別)となること、絶後「真空妙有」(無差別における差別的個々の肯定)としてよみがえること、この鍛錬を、禅は「修行＝学び」として日々実践しているのである。すごい、というほかない。思うに、禅匠は毎日、世界を生きるとともに、脱落させて生きているのであろう。よって、「日日是好日」と語りうる。今日いかなる凶事が発生したとしても、それは所詮、世界の内なる出来事にすぎない。世界がある、この事実だけで、彼は完全に満たされているのである。

さて、では我々が求めた「新しい学びの場」はすでに「道」にあるから、各自そこに入門すれば、それでことたりるのか？　実は、古くからあるものが新しいものでした、というオチなのか？　一応、ちがいます。そんなことはありません。少し迷いましたが、やはりちがうと思いました。というのも、「各自そこに入門しづらい」からです。なんか怖い。みなさん、そんなことありません？　武蔵、怖いですよね？　禅寺も、相当ヤバそう。「仏に逢うては仏を殺し、父母に逢うては父母を殺し」って、臨済先生、おっしゃりたいことはわかりますが、怖すぎです。すぐ殴るし。だから、禅寺は嫌です。みなさん、そんな感じではなかろうか。ということで、我々は「道の脱神秘化」を呼びかけたい。もうすこし、マヌケになりませんか？

撤退学の出発点は、「存在の逃れられないマヌケ」である。これをもとに、「道」に呼びかけたい。これまで「道」は秘境的・神秘的にすぎたのではないか。それが、ある種の美学的イデオロギー（ジャポニスム）として機能したことはなかったか。また、その政治的効果はどうだったのか。これが、学から道への問いかけとなろう。これは先に示した「政治思想としての禅」とならんで、撤退学が「道」と交わる際の核心的テーマとなる。

(3) 国家への呼びかけ：実行して！

撤退学の最終目標は、この世から戦争をなくすことであり、それが可能な知的生命体へと人類が撤退していくことだが、それまでに何百年かかるかわからない。ということで、我々は地味にその下地をつくっていきましょう。とにもかくにも、撤退の動きを肯定するのである。今日さまざまなシーンで、「標準」とされてきた生から、撤退する・撤退せざるをえない人々がみられる。不登校・ひきこもり・ニート・フリーター等々である。そうしたなか、「標準」からの撤退を否定しないオルタナティブ・スクールもまた、各地で活発な活動を展開している。撤退学はむろん、こうした取り組みと連携していきたい。我々がつくりたい学びの場は、そうしたスクールと「道」をつないだところに見いだせるのではないか。いま現在では、そうした構想を抱いている。

最後に。日本国への呼びかけを1つ。是非とも、撤退を支援していただきたい。ダイバーシティって大事ですよね。政治家や官僚のみなさんも、大いに認めていますよね。じゃあ、実行をお願いします。それは「標準の生」から、多種多様な「自分が生きる」への撤退を、制度的にも支援していただきたい。たとえば、ギャップイヤー的なものを、もっともっと奨励できないだろうか。大学を1年休学してモンゴルで武者修行。2年働いた後、1年禅寺に入る。いろんなタイプのさまざまな撤退が、あたりまえの風景になったならば、世の中はいまよりずいぶん過ごしやすくなるのではないか。そんな近未来を思いながら、では、稿を閉じよう。

さて、いかがでしょう？　みなさんもやってみませんか。目指せ後ろ向き！

Ⅱ部

補論　撤退の知性

イエスとソクラテスから

4章

補論1　イエス論

——奇天烈の倫理

イエス論1　倫理とイエス

はじめに　倫理とはなにか？

「倫理」って大事ですよね。どう生きるか、人にどう接するか、とっても大事です。ですから昔の人は、東の方でも西の方でも、「倫理とはなにか？」についていろいろ語っています。その答えはたくさんです。でも、倫理は、「人がほかの人と接するとき」に問われるものですから、ここでは倫理をかんたんに、「人と人との関係で、ちゃんとしていること」だとしましょう。すると、その核心に「他者の我有化の否定」がありそうに思えます。「我有化」というのは、文字通り、「私の所有物にすること」です。つまり、倫理の、少なくとも1つの要とは「ほかの人を自分の持ちモノのように思わない、持ちモノのように接しない」ということではないか。自己中心主義、エゴイズムの否定ですね。[*1]

だから、孔子は「仁」、孟子は「惻隠」、釈迦は「無我」を説いた（では、「仁」「惻隠」「無我」とはなにか？　これを考えはじめると、それで一生終わるから、ここでは辞書でわかったつもりになりましょう。「人を思いやること」「我欲の否定」らしい)。また、ソクラテスは果てなき「ディアレクティケー」にとどまり(つまり、対話において「正しさ」をにぎって相手をねじ伏せるのではなく、ずっと話し続けましょう、って感じ)、イエスは「隣人愛」を示した。やはりみなさん「自己中心主義」を否定しています。これは、近代や現代でも同じようです。カントは、他者の人格を同時に目的としても捉えるべきことを主張し、丸山眞男は、他者をその「他在」において理解する必要を説く。うむ、言い方が小難しいですね。学者の職業病です。でも内容はシンプル、さっき示した「他者の我有化の否定」、つまり「ほかの人は、自分のモノではありません」「人に接するとき、自分勝手はいけません」ということです。校長先生も、朝礼でおっしゃっています。以上、えらい先生方の意見は一致しました。「汝、我有化する勿《なか》れ」、これが倫理の核心(の少なくとも1つ)ではあるまいか。

では、あとはそれを実践するのみ、簡単です。で、実践すると、人はどんなふうに変化し倫理的になるのか？　しかし実際のところ、我有化の否定って、「人」に可能なのか？　その実践は、実は「人でなし」をつくらないか？　こうした、ちょっと怖い問いについて

＊1　ただし「エゴイストの共生」という考えもあります。そうした思想も、メタ次元では「他者性の回収」や「他者の我有化」を否定しているように思われますが、本稿ではふれません。

は、先生方はなにも教えてくれません。ですから、自分で探究しましょう。というのも、倫理はなにより「実践」が大事なんですから。たとえば、こんな先生はいかがでしょう？私は倫理の先生です。「教え」を諭します。でも、実践はしません、できません、あしからず、ってさすがにそれ倫理的にどうよ、って思います。だからここでは、先生の「教え」だけでなく、その「実践」についても注目しましょう。ご登場いただくのは、イエス先生です。

以下、この「イエス論」は、上記テーマについて『福音書』を題材に考察します。『福音書』、ご存じですよね？「悦ばしき知らせの書」です。具体的には、イエス・キリストの言行録で、キリスト教徒にとって『聖書』の最も大切な部分です（神の子が現れたのだから、これは「悦ばしき知らせ」にちがいない）。『福音書』を読むと、ナザレのイエスこそ、「我有化の否定」をたんてきに実践した「人？」だったことがわかります。では、イエスはどんなふうに語り、動いていたのか？彼はなに者であったのか？

ニーチェのイエス論

まずは、ニーチェの答えを聞きましょう。イエスはなに者なのか？ニーチェによれば、

「イエスは、1人の仏教徒であった」。え？　そんなんあり？　ニーチェのキリスト教批判は有名ですが、彼は、イエスをメシアではなく、仏弟子と見なしたのか⁉　やれやれですね。これはどういうことか？　ニーチェは、キリスト教との関係では、自分のことを「番犬」だといっています。どこであれ、キリスト教的な腐臭を嗅ぎつけると「ワン！」で、噛みつくわけです。でも彼は、キリスト教とイエスその人を慎重に区別し、イエスの方は肯定しています。イエスはたしかに「福音」をもたらした。だがニーチェによれば、「福音」を裏切りその正反対のものから、パ、ウ、ロ、がキリスト教をつくりあげたのです。ニーチェ最晩年の書、『反キリスト者』の議論を整理すれば以下のようになります。

1　仏教とはなにか

ニーチェは、イエスを仏教徒としました。ただし、イエスがお釈迦様の教え『スッタニパータ』を唱えていたわけではありません。ニーチェは、そんなことをいいたいわけではありません（たぶん）。イエスが示す「聖性」のあり方が、仏教のそれと等しいということでしょう。では、それはなにか。ニーチェによれば、仏教は「善悪の彼岸」に立つ。つまり、人間的な「善い」「悪い」とは関係しません。よってまた、「応報思想（善人⇒極楽、悪人⇒地獄）」とも無縁だというのです。[*2] 仏教の目的は、来世における「罪の救済」ではなく、いまここでの「苦の滅却」にある。仏陀は、衛生学的観点から、ルサンチマンや復讐の感情を遠ざけるのです。なぜか？　考えてみましょう。もし、「善か悪か」「正か邪か」なんていう観点から、ものごとをみるとどうなるか？　その場合、気に入らないことが起きると（そして世界には、つねに気に入らないことが起きます）、ついつい「誰のせいだ？」「邪な連中のせいだ」「奴らに復讐」「因果応報」「正義」なんていう、すごくゆがんだ、すごく熱い思いに、囚われてしまいそうです。不健康このうえない。でもって、そんな「熱い思い」を出発点に正義をふりかざし、今度はこちらからあらたな「苦」を蔓延させるわけです。とほほですね。だから、大事なのは健康です。仏陀は、衛生学的観点から、心身をゆがめるルサンチマンを予防し、報復感情を遠ざけます。やるべき務めは、いまここにある具体的な「苦」を、1つずつ具体的に消すことではないか。そうした仏教の姿勢が、ニーチェによって「大いなる健康」とたたえられます。この健康は、現代人が追求する「健康第一主義（すごく不健康なやつ）」とはまったくちがうものでしょう。たとえば、どんな難病に襲われても、死の床にあっても、いつでも仏陀はとっても健康なわけです。朗らかで、柔らかく、肯定の力がみなぎっている。「快活、静寂、無欲が最高の目標とされ、しかもこの目標が達成される。仏教は、ただ完全性の獲得をのみ熱望するような宗教ではない、すなわち、完全性が常態なのである」[*3]。

2　イエスとはなに者か

ニーチェによれば、イエスの「福音」もまた、神すなわち完全性との合一からはじまっていています。引用しましょう。「『福音』の全心理学のうちには負い目と罰という概念はない、同じく報いという概念もない。『罪』、神と人間とのあいだを分かついずれの距離関係も除去されている、——まさしくこれこそ『悦ばしき音信』なのである。浄福は約束されるのではない、それは条件に結びつけられているのではない、それは唯一の実在性なのである(…)そうした状態の結果は一つの新しい実践、本来的に福音的な実践のうちへと投影される」[*4]。「福音的実践のみが神へとみちびくのであり、この実践こそ『神』である」[*5]。

＊2　宗教と「善悪の彼岸」に関しては、第3章「撤退学宣言」註28の周辺を参照。
＊3　ニーチェ（1994: 190）傍点原文。傍線引用者。
＊4　ニーチェ（1994: 213）傍点原文。
＊5　ニーチェ（1994: 214）傍点原文。

ここでニーチェは、イエスについて決定的なことを語っています。負い目や罪の否定、約束や条件の否定、神との距離の否定、浄福の実在性と実践——その意味するところは、このあと福音書を読むなかで検討しましょう。ここでは、仏陀と同様イエスもまた、完全性が常態であったと確認するにとどめます。福音書のうちにニーチェは、「完全性の反復」としての実践を認め、「この実践こそ『神』である」と直言しました。

3　パウロによる逆転

だがイエスの弟子たち、なかでもパウロは、「福音の反対物から教会を築きあげてしまった」[*6]とニーチェはあきれます。隣人愛の実践が福音そのものであり、イエスは十字架でその証を示した。すなわち、十字架にかけた者たちを恨まず、悪人に報いを与えず、彼らのために祈り、彼らを愛したのです。「本来イエスがその死でねがったのは、おのれの教え〔隣人愛〕の最も強力な証拠を、証明を公然とあたえるということ以外の何ものでもありえなかった……しかし彼の使徒たちには、この死を容赦することなど思いもおよばなかった、——そうすれば、最高の意味で福音的であったであろうに」[*7]。

イエスの死、イエスによる贖いは、人々へのシンプルな贈り物です。愛や赦しは、約束や条件や報いなしに、ただとんとんとんと、あなたのもとに訪れるのです。したがって、「この死を容赦する」とは、そこに意味や理由などを詮索せず、そのまま受けとることでしょう。悪人も使徒たちも、単に「有り難い」と受けいれればよい。「有り難い」ことが「有る」のだから、ただそれを大事に受けとめればよい。もし、あなたがイエスに動かされたのなら、あなたも同じように動いたらそれでよい。シンプルに、隣人愛を反復させるのです。

だが、使徒たちは、そこに約束や報いを求めました。彼らは、キリスト（イエスではなく）の復活と再臨の物語を構成し、その死を容赦なく回収したのです。「このうえなく非福音的な感情が、復讐が、ふたたび優勢となった。事態がこうした死でけりがつくことなどありうべからざることであった。『報復』が、『審判』が必要となったのである（しかし、『報復』、『罰』、『審判』にもまして非福音的なものがなおありえようか！）。もういちど俗うけのするメシアの待望が前景にでてきた。歴史上の一瞬間が注視された、『神の国』はその敵を審くために来るというのである……かくして万事が誤解されてしまった、終幕としての、約束としての『神の国』とは！　だが、福音とはまさしく、この『国』の現存、実現、現実であっ

＊6　ニーチェ（1994: 217）傍点原文。
＊7　ニーチェ（1994: 225）傍点原文。

たのだ。まさしくそうした死〔隣人愛の証としての死〕こそこの『神の国』であった[*8]」。「有り難い神の国」がここに「有る」こと――イエスによる「悦ばしき知らせ」を、しかし彼の弟子たちは認めようとはしませんでした。「このとき以来一歩一歩と救世主の類型のうちに入りこんだものこそ、最後の審判と再臨についての教えであり、復活についての教えである。パウロは、この見解を、（…）こう論理化してしまった、『もしキリスト死人の中より甦へり給はざりしならば、我らの信仰もまた空しからん』。――そして一挙に福音が、すべての満たされない約束のうちの最も軽蔑すべき約束と、人格の不滅性についての恥しらずの教えとなった……しかもパウロ自身はそのうえこの不滅性を報酬として教えたのである！[*9]」。

4　イエス≠仏教≠キリスト教

このようにしてキリスト教は誕生しました。ニーチェは、それを次のように評価しています。「十字架での死とともに何が終わったかがおわかりであろう。一つの仏教的な平和運動への、たんに約束するだけではない事実上の地上の幸福への、一つの新しい、一つの徹底的に根源的な素地がおしまいになったのである。（…）仏教は約束するのではなく履行し、キリスト教はなんでも約束するが、何ものをも履行することはない」[*10]。

以上、『反キリスト者』における、ニーチェのキリスト教批判を確認しました。ここで論じられたイエスとキリスト教との相違を、以下『福音書』で考察します。①負い目や罪の否定、②報酬や条件の否定、③神との距離の否定、④浄福の実在性と実践、この4項目についてイエスはなにを語り、どのように動いているのか[*11]。

＊8　ニーチェ（1994: 225-6）傍点原文。
＊9　ニーチェ（1994: 227）傍点原文。
＊10　ニーチェ（1994: 228）傍点原文。
＊11　イエスとパウロを対峙させる考えは、20世紀の思想家にも散見されます。たとえばウィトゲンシュタインとアーレントという、タイプの異なった思想家がともに、この点ではニーチェのように語っているのです。
1937年の断章で、ウィトゲンシュタインは次のように書いています。「福音書には小屋がある。しかしパウロの手紙には教会があるのである。福音書では、全ての人間は同じであり、神自身が人間なのである。パウロの手紙では、既に序列のような或るもの——位階とか役職——が存在する」（マルカム 1998: 26）。

アーレントの場合は、こんな感じです。「イエスにとって信仰は活動〔action〕と密接に結びついていた。ところがパオロにとって信仰はなによりもまず救済に係わっていた」（アレント 1994: 38）。

福音書が描くイエス1：徹底した否定

福音書はイエスのさまざまな言行を、しかも一見したところたがいに矛盾するそれを記述してきました。だから、多様な解釈の体系が、キリスト教学の壮大な伽藍を構成したわけです。ここでは、私たちが考えるイエスの精髄だけに考察を集中させましょう。[*12] それは、「偶像崇拝の禁止」です。そして「偶像崇拝の禁止」が、人々を宙ぶらりんにする、そのさまを検討したいと思います。さて、ニーチェの自己規定は、「ハンマーで哲学する者」でした。クラッシャーですね。では、なにを壊すのかといえば、もちろん「偶像」です。人々が崇め奉っている偶像の破壊者（iconoclast）、これがニーチェであり、また彼に遥か先だってイエスでもあったように思います。『福音書』には、イエスが壊しまわっている姿が描かれています。

では、あらためて問いましょう。偶像とはなにか？　それは信仰の対象（神）が、まさに対象物（object）として、そこに形づくられ現れでたモノです。もちろん、「神像」がその典型ですね。ユダヤ教の伝統もまた、「偶像崇拝の禁止」を信仰の基盤にすえていました。というのも、神をモノとして固めてしまうのは、さすがにヤバそうだからでしょう。モノって、自分で手にして「持ちモノ」にできそうですよね。ですから、あれ？　オレって神の所有者？　より上？　なんていうおやおやな事態が発生しかねません。ということで、超越神を崇める一神教では、偶像崇拝はタブーとなるわけです。でも、ちょっと考えてみてください。「偶像崇拝」って、物理的なモノの話だけですまされるのでしょうか。「神の意志」とか「自分と神とのつながり」とか、そうした信仰上の一大事を、認識可能なモ

---

*12　20世紀の批判的聖書学によって、福音書の記述が、そのままイエスの言行をあらわすものではないことは、すでに常識となっています。最も古いマルコ書もまた、記述者の意識——当時のエルサレム教会への批判——にもとづいて書かれているようです。ですから、キリスト教会の装飾をすべて取りはらった「史的イエス」は、いまだ藪のなかというべきかもしれません。「史的イエス」の抽出自体が、大きな課題となるわけです。たとえば、「イエス・セミナー」というアメリカの研究グループでは、イエスの言葉を赤（本物）・ピンク・灰色・黒（偽物）に色分けし、その真正性の度合いを投票（！）によって明示したようです（cf.,Funk & Hoover 1993）。すごいですね。

　で、もちろん私たちには、「史的イエス」とその後の装飾を区別しつつ論じる能力はありません。ここでの目的は、あくまでもニーチェのイエスをまな板の上にのせ、それを「我有化の否定」という観点から吟味するところにあります。ですから、私たちもニーチェと同じく、福音書を奔放に解釈します。ルデュールが論じているように、ニーチェがキリスト教からイエスを救出しようとするのは、「史的イエス」を描くためではありません。「それは、あるタイプの人間を理解し解釈する試み、つまりは、イエスの解釈学なのである。だれが『悦ばしき使者』でありうるのか？　ニーチェは、自らの方法論に忠実であった。客観的と称する真

ノ、把握可能なモノのように固めてしまい、その「所有」を企てる試みは、ぜんぶがぜんぶ偶像崇拝とはいえないでしょうか？　イエスは、ラディカルに「偶像崇拝の禁止」を実践します。彼のハンマーは、物理的なモノだけではなく、ガンガン、心のなかのカタマリにも振り下ろされるのです。すると、ユダヤ教の律法主義がクラッシュしていきます。

『福音書』では、イエスがユダヤ教の律法学者と問答する場面が描かれています。律法学者というのも、イメージがわかないかもしれません。専門家はこんなふうに説明しています。「当時のユダヤ教では、人は律法だけから神の意志を知ることができるのであった。だから律法学者またパリサイ人は、律法を学び、正しく解釈して生活の万般に適用しようと努めたのである*13」。彼らが、敬虔な信者だったのはまちがいないでしょう。神の意志は、「律法」としてそこに現れている。だから律法学者は、モーセの十戒から日常の細則にいたるまで、人々に遵守させるべく指導するのです。ああ、そうですね。先に示した「偶像崇拝禁止」のイエス・バージョンからすれば、すでにかなりヤバそうです。というのも、神の意志が、カタマリとして律法に固定されてしまいましたから。でもそれって、なんでそんなにまずいの？　って思うかもしれません。まずい理由として、こんな風な流れが考えられるでしょう。神の意志は「律法」に具体化されている。つまり、救いへの道すじ、神の国への上昇ルートは、「律法の遵守」というかたちで、客観的・固定的に与えられている。

そして、上昇ルートへの乗り方は、律法学者が知っている。ふむふむ、で、なんでまずいの？ まずいのは、その場合、天国への上昇と、ビルの最上階への上昇とのあいだに、質的なちがいがなくなることです。つまり、上昇のための客観的な作法（マニュアル化可能な方法）が存在し、その作法を律法学者が「所有」するからです。そのとき信仰の問題は、マニュアルを手にいれたかどうか、結局「所有」「非所有」の問題に還元されてしまうでしょう。でも、天国への上昇と最上階への上昇は、やっぱりちがいますよね。後者で大事なのは、エレベーターの位置と操作法を知ること、つまり「知識」とその「所有」なわけです。でも、前者で大事なのは、魂や人格のあり方だったりはしないか。

では、そろそろ先生にご登場いただきましょう。以下、イエスが批判するのは、2つのタイプの「偶像崇拝」です。一方には、神の意志の番人である律法学者が、他方には、これに背き告解する罪人がいます。だがイエス、少なくともニーチェのイエスは、両者の心

理などはない。ただ解釈、価値評価があるのみ。彼は、ナザレのイエスの史的現実性を超えて、イエスが表現しえたことの類型論を確定しようとした。我々は、系譜学をまえにしているのである」（Ledure 1973: 170）。

＊13 八木（2005: 77）。
私たちのイエス論もまた、ニーチェ系譜学の追走にほかなりません。

の奥に偶像崇拝を見いだし、その欲望を解体していくのです。罪人の側の「負い目」についてはあとにまわし、まずは、律法学者への批判を見てみましょう。

律法学者たちやファリサイ派の人々が、姦通の現場で捕らえられた女を連れて来て、真ん中に立たせ、イエスに言った。「先生、この女は姦通をしているときに捕まりました。こういう女は石で打ち殺せと、モーセは律法の中で命じています。ところで、あなたはどうお考えになりますか。」イエスを試して、訴える口実を得るために、こう言ったのである。イエスはかがみ込み、指で地面に何か書き始められた。しかし、彼らがしつこく問い続けるので、イエスは身を起こして言われた。「あなたたちの中で罪を犯したことのない者が、まず、この女に石を投げなさい。」そしてまた、身をかがめて地面に書き続けられた。これを聞いた者は、年長者から始まって、一人また一人と、立ち去ってしまい、イエスひとりと、真ん中にいた女が残った。

（ヨハネ 8: 3-9 傍線引用者）

律法学者たちとファリサイ派の人々、あなたたち偽善者は不幸だ。白く塗った墓に似ているからだ。外側は美しく見えるが、内側は死者の骨やあらゆる汚れで満ちている。(…)

律法学者とファリサイ派の人々、あなたたち偽善者は不幸だ。預言者の墓を建てたり、正しい人の記念碑を飾ったりしているからだ。

(マタイ 23; 27,29)


先にいる多くの者が後になり、後にいる多くの者が先になる。

(マルコ 10; 31)


金持ちが神の国に入るのは、らくだが針の穴を通るよりも難しい。

(マタイ 19; 24)


これら引用には、イエスが、当時のユダヤ教の秩序をひっくり返すさまが描かれています。律法学者は戒律や法に精通していますから、人々を導き、罪を犯した女を裁こうとします。彼らは、まるで客観的・物理的なメジャーでももっているようです。それをつかって、「人の行為」と「神の意志」との距離を測ります。で、基準線を越えたらアウト、ってことになるわけです。律法学者にとっては、目に見える、物理的な行為(外面)が、吟味することのすべてなのでしょう。これに対しイエスは、人間たちの外面と内面(心のなか)の両方で考えます。そのうえで、内面の隠されたエゴイズムを暴きだすのです。人を裁きうる者、預言者の墓をたたえうる者の外面は美しい。でも、大丈夫ですか？ 神には、あなた方の内面も過去も、すべてが見えています。石なんか投げて大丈夫？　そうした行為は、自分勝手に律法を使う、「律法の所有者」のふるまいになりませんか？　それを、神は喜びますか？　イエスの言葉は、彼らの内側に突きささります。

事情を明確にするために、裏側からのアプローチを試みましょう。偶像崇拝が本当に禁止されたならば、人はどうなるのか？　神像（モノ）を祀る（外面）だけではなく、神を客観的に把握可能なモノのように見なすこと（内面）、そうしたことのすべてが禁じられたとしたら、人はどうなるのか？　たぶん、宙ぶらりんです。足元の地面が消えて、でも落下しない、そんなふうになります。というのも、客観的基準がなくなり、すべてが内面化（主観化）されるからです。たとえば、いま私は座っています。宙ぶらりんじゃありません。地球の重力があり、地面の方が「下」、その反対が「上」という、客観的な基準があるからです。だから、手を地面につけて倒立すれば、客観的に「逆立ち」が成立します。では、地球がなくなったらどうか？　宇宙の無重力のなか、私だけがひとり、そこにあるとすればどうか？　宙ぶらりんです。上も下もありません。頭がある方を「上」と、私が勝手に決めるだけです。でも、逆立ちはできません。私の頭とともに、「上」が移動するからです。こんなんが、「すべてが内面化（主観化）される」状態、すなわち、偶像崇拝が真に禁止された状態ではないでしょうか。

「神の意志」はある。『聖書』はある。ですが、それについては、誰もなにも確実なことは言えません。各自がおのれの内側で、「神の意志」を問い続けるほかなさそうです。神との関係は、内面化され、また無限化されるでしょう。神の客観的な把握、「有用な知識」、これは傲慢として禁止されましたから、神は無限に遠ざかっていきます。もう、「義人」を聖別し、たたえることも不可能ですし、「罪人」への「裁き」もありえません。「神の意志」は、遥かのかなたに、なのです。もちろん、「私」の救いもまた、全くもって不確定です。無限に沈黙する宇宙のなか、ひとり漂い、神を求める。これが、「偶像崇拝の禁止」の論理的帰結ではないでしょうか。「知識」をすて、ただ神を求め、祈り続ける——「信仰」とは、これ以外ではなくなるのです。[*14]

しかし、これは不安ですよね。無限に沈黙する宇宙に、ひとり漂う寄る辺のなさ。命綱

＊14 ここで、お釈迦さまの「天上天下唯我独尊」を思いだしてみましょう。この言葉、ご存じですよね？ お釈迦さまは、生まれた後すぐに7歩あるいて、右手で天、左手で地を指さし、「天上天下唯我独尊」とおっしゃったらしい。いやはや、びっくりのエピソードです。で、私たちはこの言葉を聞いて、「お釈迦さまは、唯一無二の尊さだろうけど、でも、自分でそれいっちゃうってすごいよね」とかなんとか、おしゃべりするわけです。「衆生済度」という利他的な面、「解脱」という利自的な面、どちらを強調するかで分かれたとしても、みなさん一致して、この言葉の意味は「お釈迦さまが、唯一尊い」ということだと信じて疑いません。でも

が切れてしまい、かなたの闇へと離れゆく宇宙飛行士、そんな姿を映画などでは見ますが、これはもう、ひゃーってくらい不安です。不安の王様です。大丈夫でしょうか？　人は、こうした不安に耐えられるのでしょうか？　無理です。普通に、無理です。じゃあ、耐えられないとしたら、どうすればよいのか？　たぶん、こっそりと、偶像を造ってしまえばよいのです。密造神です。これが、ユダヤ人たちの無意識の回答ではなかったか。隠された偶像崇拝への傾斜、外面で禁止されたことの内面での遂行、神像（モノ）は造らないが、見えないところで神の意志をモノ化すること、こうした対応が、律法主義だったように思います。「これが、律法の教えです」「この人が、律法を守る義人です」、こうした確定がなされれば、神の意志は固定され、その「所有」への道すじが無事完了するわけです。それはつまり、「義・不義」「上・下」の客観的な重力場が形成されたということを意味します。無重力は解消され、不安もなくなることでしょう。逆立ちもできます。めでたし、めでたし。

　となると信者たちは、律法学者も罪人も、「尊大な子羊」だといえそうです。「傲慢な謙虚さ」ですね。神の意志を畏れ敬いつつも、そのうらでは、こっそり自分のモノにしているわけですから。律法学者の方は確認したので、ここでは「罪人の負い目」について見てみましょう。一見したところ、「罪人＝迷える子羊」は尊大ではありません。律法と罪の重さにあえぎ、「神よ憐れみたまえ」と祈るのみです。人を裁くどころではありません。でも、少なくとも「自分の罪の重さ」については、自信満々なわけです。「私は救いようのない罪人です」と告解できるわけですから。この点が、先にふれた「無重力の宙ぶらりん」とは全く異なります。偶像崇拝が真に禁止されたならば、無限へと放りだされ、ひとり漂うばかりでしょう。それだけは、なんとしても避けなければなりません。そんなことになれば、信者の共同体そのものが成り立ちませんから。大事なのは、「義・不義」が固定された揺るぎない重力場の構築です。それには、「義人」と同じだけ「罪人」の存在が不可欠となるでしょう。また、「罪人」の「負債」「負い目」には、必ず、自力返済不可能

本当か？　この言葉は、そんなことをいいたいのか？　そうではなく、イエスの「偶像崇拝の禁止」と同じ事態を自覚した、けっこう恐い言葉だったりはしないか？　考えてみましょう。むしろ事態は、次のように捉えられるべきではないか。「唯我独尊」⇓「私ひとりが尊い」⇓「基準は、私以外にはない」⇓「すべてが内面化される」⇓「無重力」⇓「生まれながらに、宙ぶらりん」⇓「マヌケ」。釈迦もまた、無根拠に、自己本位で「上・下」を定めなければなりません。逆立ちができないのです。やや、って感じです。では、この宙ぶらりんのふわんふわのなかで、どう動いたらよいのか？　いや、「行為」は、無重力でもなお可能なのか？　ただ、「漂う」ばかりではないのか？　いかがでしょう、みなさん。「天上天下唯我独尊」、この言葉からは、こうした不安な問いたちを聞きとるべきではないでしょうか。

がともないます。というのも、羊たちが欲しているのは、「内面化・主観化」を蹴ちらすこと、無重力を消しさることだからです。ですから、「負債」「負い目」には、客観的で圧倒的な重みが必要となるわけです。こうして、一方に神の義を担う律法学者の重みが、他方に不義の咎を担う罪人の重みが存在することとなり、神は、ひとつの重力場へと固定されます。律法学者は「裁く者」、罪人は「裁かれる者」ですから、信者のコミュニティのなかで両者は、対照的な位置にあるといえるでしょう。しかし、神との関係においては、同じ場所にいるように思います。オーナー席です。羊たちにとって、神は、コミュニティを存続させるための手段にほかなりません。

以上、信者たちの内面を見てきました。イエス先生は、「偶像崇拝の禁止」をラディカルにおしすすめ、隠された「神の所有」をえぐりだしたのです。「あなたたちの中で罪を犯したことのない者が、まず、この女に石を投げなさい」「あなたたち偽善者は不幸だ。白く塗った墓に似ているからだ」「先にいる多くの者が後になり、後にいる多くの者が先になる」「金持ちが神の国に入るのは、らくだが針の穴を通るよりも難しい」。イエス先生は、これまでの秩序をつぎつぎとひっくり返していきます。ハンマーをもって、律法主義を壊すのです。では、こうした苛烈な批判のただなかで、先生ご自身はなにをしているのか？　地面にしゃがみ込んで、指でなにかを書きはじめています。「罪のない者が、まず、石を投げなさい」と言ったあと、またしゃがみ込んで、無心に書きつづけています。なにをしているのだ、お前は！ ラクガキか!? 律法学者とのクリティカルな問答——「罪のない者が、まず、石を投げなさい」——を知らない者はいない。だが、この言葉の前後に、イエスがあらわしたこの奇天烈な動きを合理的に説明した者を知らない。*15

では次に、「神の所有」「他者の我有化」を否定するイエスが、その考えを究極まで突き

*15 思うに、福音書の最大の魅力は、ときおり見られるイエスの不可思議な動きではないか。奇跡を行えたり、不発におわったり、神の子にもかかわらず十字架で「エロイ、エロイ、レマ、サバクタニ（わが神、わが神、なぜわたしをお見捨てになったのですか！）」と叫んで死んでしまったり——要するに、イエスはハズレまわっているのです。彼はなによりも教会の欲望——「イエス＝キリスト」による救済の宗教の確立——をかき乱します。でも、それだけではありません。最終的には、神との合一、浄福の実在を説くニーチェのイエス像からも、また遠ざかっていきます。死の直前、あえて神から離れ、神を問うのですから。エロイ、エロイ、レマ、サバクタニ。この鋭角的な謎が、イエスではないでしょうか。

たとえば、本文で引用したマタイ書のイエスは、律法学者を「あなたたち偽善者は不幸だ」と声高に批判しており、なんていうか、教会の裁きとむしろ親和的だったりもします。田川建三によれば、律法学者やファリサイ派を「偽善者」として両断するのはマタイ神学の特徴であり、「史的イエス」とは異なるらしいです（田川 1980: 162-3）。でも、このいささかポジティブにすぎるイエスもまた、私たちの解釈からずれる謎として、愛しむべきかもしれません。イエスは、ハズレ、ですから。

すすめていくさまを確認しましょう。その結果、人々はどこに連れていかれるのか？「奇天烈」ではあるまいか？　以下、再び『福音書』から引用します。取りあげるのは、いわゆる「山上の垂訓」として知られた言葉たちです。

あなたがたも聞いているとおり、昔の人〔モーセ〕は、『偽りの誓いを立てるな。主に対して誓ったことは、必ず果たせ』と命じられている。しかし、わたしは言っておく。一切誓いを立ててはならない。

（マタイ 5; 33-4）

あなたがたも聞いているとおり、『目には目を、歯には歯を』と命じられている。しかし、わたしは言っておく。悪人に手向かってはならない。だれかがあなたの右の頬を打つなら、左の頬をも向けなさい。

（マタイ 5; 38-9）

あなたがたも聞いているとおり、『隣人を愛し、敵を憎め』と命じられている。しかし、わたしは言っておく。敵を愛し、自分を迫害する者のために祈りなさい。

（マタイ 5; 43-4）

施しをするときは、右の手のすることを左の手に知らせてはならない。（マタイ6:3）

ここでイエス先生は、ただ1つのことをくり返しています。「狂え」と言ったのです。では、先生が命じる狂気とはなんでしょうか。右に引いた例ではすべて、「あたりまえの流れ」「正常な回路」が前提にされており、そしてそれが否定され、こんがらがっていくさまが描かれています。まずは、モーセの言葉があげられます。「偽りの誓いを立てるな。主に対して誓ったことは、必ず果たせ」。この戒めは、だれもが納得する「あたりまえの流れ」です。で、イエス先生は、これを脱臼させます。「一切誓うな！」って、先生、宗教者がそんなこと言ってしまって大丈夫？　それって、宗教が成立しなくなっちゃうけど、いいの？　って思わず聞きたくなります。でも、考えてみたら、偶像崇拝禁止をおしすめた場合、必ず「一切誓うな！」になるだろうと思います。というのも、「正しい誓い⇒実行⇒救済」という「あたりまえの流れ」が確定されたら、これってもう、天国行きのエレベーターを所有することになりそうですから。だから、イエス先生の言葉に納得です。これからは、一切誓いません。

では次です。「目には目を、歯には歯を」「隣人を愛し、敵を憎め」というのが、これまた「あたりまえの流れ」のように思います。で、先生は、これを逆転させるわけです。「右の頬を打たれたら、左の頬をも向けなさい」「敵を愛し、迫害する者のために祈りなさい」。ひゃー、これってさすがに無理です。だれもが知る有名な言葉ですが、だれも実践できてませんよね？　正気でこれをやるのは、とことん無理です。でも、「隣人＝愛、敵＝憎」という「正常な回路」をずっと続けてきたから、人間はいつまでたっても戦争を捨てられず、仲良く暮らせないのでしょう。それはわかります。でも、やっぱり正気では無理です。先生、どうしたら、「正気」を捨てられるのでしょうか？

では次です。「右手のすることを、左手に告げてはならない」。これまたわかりやすく、狂ってることが必要ですね。神経回路が正常であれば、右手の動きは、脳を通じて左手にも目にも口にも頬にも知らされます。ですから、ついつい人間は、右手で施し（give）をすると、左手がのびて報い（take）を求め、目はたれて、口はにやけ、頬がゆるむわけです。でも、そうなってしまったら、これは先生が十字架で示したような「シンプルな贈り物」ではなくなります。施しは、恵まれない人のためではなく、私を「義人」にするための道具となってしまうでしょう。やはり、先生のいうとおりです。みなさん、狂わなければいけません。

以上、山上の垂訓を確認しました。イエスの言葉により、人々はひき裂かれざるをえません。「誓いと救済」「愛と憎しみ」「施しと報い」について、「あたりまえの流れ」とイエスの要請（狂気）とにひき裂かれ、宙ぶらりんになってしまいます。確かに、イエスの狂気は倫理的でしょう。律法学者たちは、「等価交換」や「互酬性」の回路——「誓い⇓実行⇓救い」「目＝目、歯＝歯」「隣人＝愛、敵＝憎」「右手の施し＝左手の報酬」——にしたがって、救済のルートを確定しようとします。しかし私たちはすでに、一見まっとうな彼らの内面を確認しました。そこには神の「所有」が隠されていたわけです。そして、モノ化され所有されるのは、ひとり神だけではないでしょう。偶像崇拝は、信者のコミュニティ全体の欲望です。裁く者も裁かれる者も、みなそれぞれの役割、それぞれの重みを担い、重力場に縛られ続けていくのです。1人ひとりの人間が、共同体の道具になるわけです。おそらくは、こうした流れのなかで、ニーチェのいう「キリスト教徒＝家畜たちの群れ（掟に盲従し、その重みにあえぎながら、ひそかに欲望をみたす者たち）」がつくられていくのでしょう。イエスは、重力場から神を解き放ち、それによって、人々を解放しようとしたのです。

ということで、やはりイエス先生の奇天烈は、とても大事です。先生は、等価交換や互酬性の回路を脱線させ続けていたわけです。あるときは、義・不義の基準を問いつめられ、地面にかがみ込んで指でなにかを書きはじめる。この奇天烈な動きは、すでに正常なコミュニケーション回路を揺さぶっています。しつこく問われたあと、「え、裁く資格者なんているの？」と問いかえし、ふたたび地面に集中します。先生は応報の回路から、徹底してハズレまくるわけです。イエスはハズレです。ただただ、ハズレ、ハズレ、なのです。なにか大事なことをカタマリにして、所有しようとする欲望からハズレ、したがって、彼をキリストとして固めようとする欲望からもハズレます。もちろん、イエスの弟子たちは、壮大なキリスト教をつくりあげました。しかし、『福音書』のなかの奇天烈、全然メシアらしくないハズレまくりについては、どうにも隠しきれませんでした。キリスト教徒は、「山上の垂訓」を金科玉条として墨守したいでしょう。イエスを固めて、所有したいことでしょう。そうした流れを、イエス先生はよくご存じでした。ということで、およそ実践不可能な命令、「宙ぶらりん！」「狂え！」を命じたのです。先生は、弟子たちにいいます。「一切誓うな」「左の頬をも向けよ」「敵を愛せ」「左手に告げるな」、どう？　これが新たな律法だよ。旧い律法をちゃんと守ってきたように、これを現実に、そのまま実行してごらん、できるかい？　と笑っているわけです。

律法主義に対するイエスの批判は鋭い。だがしかし、といいたくなります。みなさん、落ち着きましょう。だがしかし、奇天烈はやはり奇天烈ではないでしょうか？　ハズレはハズレですよね？　それってやっぱり、空しくありません？　イエスが示した「偶像崇拝の徹底禁止」「我有化の否定」は、たしかに峻烈な倫理をあらわしています。それは、現状に対するネガティブな批判としては鋭く、意味があるでしょう。でも、その行きつく先が奇天烈であり、ハズレであり、宙ぶらりんならば、今度は、ポジティブな行為そのものが不可能となりそうです。抑圧からのハズレには、意味があります。でも、そのあとずっと、ハズレ続けるのでしょうか？ また、人は狂おうとして狂えるわけではありません。狂ってしまうものです。ですから、「狂え」という要請は、やはり空しいといわざるをえないでしょう。倫理が、意志や選択にもとづく行為であり、なんらかの価値を求めた実践ならば、狂気はその埒外にあります。イエスの奇天烈が意味をもつのは、ただ現状を再検討するための契機、たんなるきっかけとしてだけです。奇天烈やハズレに、ポジティブな倫理を見いだすことなどできませんから。

福音書が描くイエス2：徹底した肯定

さてさて、イエスの言行を追跡していくと、右のような疑問が湧いてきます。ごもっともな疑問だと思います。けれども、ニーチェは、イエスにただ批判的な契機を認めただけではないでしょう。ポジティブな実践もまた、見いだしていたはずです。先に確認したように、ニーチェは、①負い目や罪の否定、②報酬や条件の否定、③神との距離の否定、④浄福の実在性と実践、この4項目をイエスに認めていました。『福音書』を吟味するなかで、これまで私たちは、①と②に考察を集中させてきたわけです。そこでのイエスは、「救いの条件」や「報酬としての救い」という考えを否定します。救いは、「AならばB」という仮言命題で、等価交換や対価のように与えられるものではありません。救いに条件など存在しません。このネガティブな批判は、しかし、ポジティブな肯定に裏うちされたものではないか。

思うに、「条件」とは「門」を意味します。条件をクリアした者には入場が許され、しない者には門前払いがまっている。「門」は、隔たりをあらわす標識なわけです。いま自分がいる場所と、目的地とのあいだには、条件の門が立ちはだかっている。そんな場合、門を通過するために、あれやこれやの試行錯誤がはじまります。で、「報酬」や「有用な知識」や「証明書」が必要とされれば、その「所有」にむけてあくせくするわけです。しかし、それが天国へと通じる門であれば、イエスのいうとおり、そうしたパスポートこそ、壊すべき偶像にほかなりません。では、パスポートの類がすべて否定されたとき、どうすればよいのでしょうか？　この門を、どうやって通りぬけたらよいのか？　単純なクイズとして考えてみましょう。

《問題です。目的地（天国）の前に門があります。それを通過するためのパスポートの類は、一切ありません。門を通るチャンスは、１回限りです。どうすれば、一か八かではなく確

実に、目的地にたどり着くことができるでしょうか？》

うーむ。難しそうですね。というか、論理的には不可能に思えますが、いかがでしょう。どうすれば、確実に、目的地へとたどり着けるのか？　え？　すぐわかった？　簡単？　答えが右に書いてある？　ああそうですね。言われてみれば、答えはまるっと書かれていました。つまり、「救いに条件など存在しません」『条件』とは『門』を意味します」というところが、答えになるわけです。では、説明しましょう。「門」の存在理由（raison d'être）とは、「条件づけによる選別」です。「この人たちは通すけど、ほかはダメ」「この時間は通すけど、ほかはダメ」「この許可証があれば通すけど、ないとダメ」「このカギがあれば通れるけど、ないとダメ」、こんな感じです。そうした「条件づけによる選別」が存在しないとしたら、門はただの飾りにすぎません。では、これを確認した上で、問題文をもう一度読んでみましょう。

「通過するためのパスポートの類は、一切ありません」。一切ないのです。「あるけど教えない」ではなく、「あるかないか分からない」でもなく、「一切ない」と断言されています。それが、この問題のフレームなのです。つまり、「通過する資格・条件（パスポート類）」の存在が、すべて禁止（偶像崇拝の徹底禁止！）されているのです。これは、「選別不可！」を意味するでしょう。選別不可？　であれば、「通さないことの禁止」「禁止することの禁止」

が表明されたということです。あらら、この門は、たんなる飾りでしたか⁉　門として存在する理由が、すでになくなっています。ほー、って感じです。すべての者が、実はもう、肯定されていたわけです。ということで、答えはシンプルでした。そのまま、目的地に向かって進んでいけばよい、ただそれだけです。[*16]

以上、イエスが示した「肯定」のあり様を確認しました。救いに条件をつけること、なんらかのパスポートを認めること、これは天国とのあいだに「門」をつくることです。門は、ここと目的地との隔たりをあらわします。ならば、条件を消し、門をなくせば、天国との隔たりもまたなくなるはずです。イエスが示した「救いの無条件性」とは、神との距離の否定をあらわしているのです。神と不離であること、分かちがたくあること、そのリアリティが、「浄福の実在」ではないでしょうか。ニーチェが描くイエスは、鋭い否定をつらねたのち、ここで、肯定へと反転するのです。[*17]『反キリスト者』から、先に引いた言葉をもう一度引用しましょう。

「『福音』の全心理学のうちには負い目と罰という概念はない、同じく報いという概念もない。『罪』、神と人間とのあいだを分かついずれの距離関係も除去されている、——まさしくこれこそ『悦ばしき音信』なのである。浄福は約束されるのではない、それは条件に結びつけられているのではない、それは唯一の実在性なのである（…）そうした状態の結果は一つの新しい実践、本来的に福音的な実践のうちへと投影される」「福音的実践のみが神へとみちびくのであり、この実践こそ『神』である」。

イエスは、神と人間との距離関係を否定します。門をこしらえてはいけません。大事な

＊16　蛇足をいえば、「選別不可！」は、「全員通す」ということのほか、「全員通さない」という場合もありえます。ただその場合、目的地のまえにあるのは、「門」ではありません。「壁」です。「事実、通る方法がある」、これが「いま門が存在する」ことの成立要件にほかなりません。問題文が「目的地のまえに門があります」となっている以上、「壁」の存在可能性は排除してもよいでしょう。
さて、本文でみたように、この門は飾りにすぎません。しかし、これを通過するのはひどく難しい。そんなことはないでしょうか。というのも、「パスポートの類が一切ない」こと、つまり、イエスによる「偶像崇拝の徹底禁止」は、人間たちに圧倒的な不安を与えるからです。これは、先に考察した通りです。無重力を漂う者が、目的地へとまっすぐ進めるのでしょうか？　不安に苛まれる者が、自分がすでに肯定されていると、確信できるのでしょうか？　そう考えると、天国の門は、メタ次元では飾りではなく、門として機能しているようです。つまり、「条件づけによる選別」が行われているのです。こんな感じで。「門のまえで永遠にためらいつづけるか、それとも、目的地に向かって進んでいくか」、「存在しないパスポートを永遠に探しつづけるか、それとも、門は飾りと笑いながら進んでいくか」――こうした対照的な2つのあり方を、門は、選別しているのです。

思うに、そこに門が設定されると、これを抜けるのは至難となります。機会は一度、天国と地獄の分かれ目に立っている。にもかかわらず、なんの寄る辺も与えられてはいない。なるほど、こうした状況であれば、

のは、お互いに条件づけをしないこと、詮索しないこと、試さないことです。ただ、シンプルにプレゼントをするのです。そんなんが、愛です。

次に、悪魔はイエスを聖なる都に連れて行き、神殿の屋根の端に立たせて、言った。「神の子なら、飛び降りたらどうだ。『神があなたのために天使たちに命じると、あなたの足が石に打ち当たることのないように、天使たちは手であなたを支える』と書いてある。」

イエスは、「『あなたの神である主を試してはならない』とも書いてある」と言われた。

（マタイ 4:5-7）

神を試すこと。Aならば信じ、Bならば信じないと条件をつけること。これは神からの隔たり、神前の門を意味します。あるいは、「神を信じる」「あなたを信じる」という言い方そのものが、すでに相手からの距離を示すともいえそうです。「信じる」という言葉のなかには、不信の可能性もまた表現されているからです。神と交わる者、神である者は、もはや信者ではありません。逆に、信じる者とは、信じたい者であり、不信におびえる者であり、信じきれない者かもしれません。ですから、ニーチェは強調します。イエスは、新しい「信仰」ではなく、新しい「実践」を私たちに届けたのです。[*18] ほらほら、これが神として動くことだ。あなたがたもぜひ。

永遠に思いなやみ、果てしなく逡巡が続きそうです。ごくろうさまです。門など飾りですのに。

＊17 ここでいう「距離の否定」とは、距離の無化であり、神との合一をあらわします。ですから、それは、「神との距離の無限化」——「無重力に漂う者」——とは対照的です。これまで検討してきた、律法学者・罪人・漂う者、これら3者はいずれも、自分とは切りはなされた神の意志を、自分の向こう側においています。そのうえで、神の意志と自分との距離を測るのです。律法学者は、有能な測定士でしょう。義・不義のメジャーを所有して、人々の行為を測定します。これに対し、罪人は、自分の罪についてだけは、自信をもって所有します。やはり測定士なわけです。神との距離を測り、負の基準値超えに慄くのです。これら2者に対し、漂う者は、なにも所有しません。神との距離は無限なので、もう測りようもありませんから。で、宙ぶらりんに追いこまれるわけです。

しかし、なぜ神は向こう側にあるのか？ ニーチェのイエスは、これら3者に、根本的な態度変更を迫ります。神との距離の否定、つまりは神であること——その場合、神を対象物として所有することも、神が無限のかなたに消えさることも、両方ありえなくなります。なぜ、これではいけないのか？ そうニーチェのイエスは問いかけてくるのです。

＊18 ニーチェは、「信仰」と「実践」を区別し、後者にイエスの新しさを認めてたたえます。「神の国」は、信仰によって求められる「かなた」ではなく、愛の実践にともなう「いまここでの付帯状況」なのです。ニーチェ

あなたがたの天の父が完全であられるように、あなたがたも完全な者となりなさい。
（マタイ5；48）

では、神と離れず、完全性に与するとき、人はどのような動きをするのでしょうか。1つたしかなのは、完全性の動きは、「欠如＝欲求」（want）にもとづいた行為とは、全く別だということです。完全な者は、なにかが欠けているから、それを手に入れようとして行為するのではありません。完全性の運動は、完全性の反復です。なんらかの欠如、劣等、ルサンチマンから出発する欲望からハズレて、すでに満ちている者が、満ちあふれていく。森羅が万象し、神々が重々無尽するように。《欠如分を所有し完全体になりたい》――このきわめて人間的な欲求のハズレとして、完全性は反復をくり返すのです。

例示しましょう。有名な「善きサマリア人の譬え」を引用します。いつものとおり、律法学者とイエス先生が問答をしています。2人は、律法の精髄が「隣人愛」であることについては一致しました。その上で、律法学者はイエスに問いかけます。例によって、イエスを試すわけです。

「では、私の隣人とはだれですか」と言った。

イエスはお答えになった。
「ある〔ユダヤ〕人がエルサレムからエリコへ下って行く途中、追いはぎに襲われた。追いはぎはその人の服をはぎ取り、殴りつけ、半殺しにしたまま立ち去った。ある祭司がたまたまその道を下って来たが、その人を見ると、道の向こう側を通って行った。同じように、レビ人〔神殿業務を掌る下級祭司〕もその場所にやって来たが、その人を

の言葉を確認しましょう。

「〔神との距離の否定という〕状態の結果は一つの新しい実践、本来的に福音的な実践のうちへと投影される。「信仰」がキリスト者〔イエスに従う者、この場合は肯定的〕を区別するのではない。キリスト者は行為し、異なった行為によって区別されるからである。(…) キリスト者は、異郷人と同郷人とのあいだに、ユダヤ人と非ユダヤ人とのあいだになんらの区別をもおかないということ(「隣人」とはもともと信仰の仲間、ユダヤ人のことである)。キリスト者は、誰にも立腹せず、誰をも軽蔑しないということ。(…) 救世主の生涯はこうした実践以外の何ものでもなかった、――彼の死がまたこれ以外の何ものでもなかった……彼は、神との交わりのためになんらの定式をも、なんらの儀式をももはや必要としなかった――祈禱すらをも。(…) 福音的実践のみが神へとみちびくのであり、この実践こそ「神」である!(…) おのれが「天国にいる」と感ずるためには、おのれが「永遠」であると感ずるためには、どのように生きなければならないかということに対する深い本能(…)このことのみが「救世主」の心理学的実在性である。……一つの新しい行状であって、一つの新しい信仰ではない。」(ニーチェ 1994: 213-4 傍点原文、傍線引用者)。

見ると、道の向こう側を通って行った。ところが、旅をしていたあるサマリア人〔当時ユダヤ人とひどく仲の悪かった〕は、そばに来ると、その人を見て憐れに思い、近寄って傷に油とぶどう酒を注ぎ、包帯をして、自分のろばに乗せ、宿屋に連れて行って介抱した。そして、翌日になると、デナリオン銀貨二枚を取り出し、宿屋の主人に渡して言った。『この人を介抱してください。費用がもっとかかったら、帰りがけに払います。』さて、あなたはこの三人の中で、だれが追いはぎに襲われた人の隣人になったと思うか。」

律法の専門家は言った。「その人を助けた人です。」

そこで、イエスは言われた。「行って、あなたも同じようにしなさい。」

（ルカ 10; 29-37 傍線引用者）

まず、律法学者の欲望を確認しましょう。彼は、「私の隣人とはだれですか」と尋ねます。というのも、「隣人」を確定して欲しいからです。「この人が、愛すべき隣人です」って感じで提示されれば、隣人愛もすばやく実践できるでしょう。そのまま、「義人としての私」も確立するわけです。であれば、わかりやすく、愛は道具です。「自己義人化のための隣人愛」「A for B」――こうした振る舞いは、自分の目的を実現する手段として、隣人をつかっているわけです。「我有化」の典型でしょう。律法学者は、いつでも欠如からはじめているのです（「義人になりたい。つまり義人ではない」）。彼をつき動かすのは、距離を埋める欲望にほかなりません。焦点となっているのは、自己と義人とのあいだの距離です。傷ついたこの人ではありません。

これに対しサマリア人の場合は、ただ「憐れに思った」だけです。ここには自己実現も、目的―手段関係も見あたりません。「愛すべき隣人」という客体が求められたわけでも、「隣人愛」の主体になりたかったわけでもないでしょう。彼は、むだに助けたのです。あるいは、ほかの理由なしに、「助けるがために助けた」「A for A」ともいえます。ある存在者への理由なしの肯定、無条件で、むだで、不条理な肯定、だがそれが「愛」ではないでしょうか。

注意すべきは、このような「A for A」というあり方に、欠如がなく、距離がないことです。「A for B」には――たとえば、自己義人化のための隣人愛のように――欠如と距離が存在しました。しかし「A for A」では、ただAが反復するのみなのです。それが愛であれば、愛する者は愛しいがゆえに愛し、すでに愛しつつも、日々愛を深めます。ここには外部がありません。目ざすべき目標もなく、外からの承認理由もいらない。愛は、それ自身で充足しながら、充足を上書きするのです。そうしたあり方が、完全性の反復運動ではないでしょうか。日常ありふれた出来事でありながら、存在の不条理な肯定としての愛は、そのつどの奇跡です。イエスのみが神と交わるのではありません。サマリア人も、その実践のただなかで、神の国にいるのです。ニーチェのイエスによれば、だれもがこうした実践において、神と一致しているわけです（「福音的実践のみが神へとみちびくのであり、この実践こそ『神』である」[*19]）。

隣人を愛しながら、神と交じりあうこと、その至福が、イエスの福音ではないでしょうか。ですから彼は、みんなを誘うように話しかけるのです。「行って、あなたも同じようにしなさい」[*20]。

まとめ

以上、福音書のイエスを考察しました。そこには、ニーチェがいうように、①負い目や罪の否定、②報酬や条件の否定、③神との距離の否定、④浄福の実在性と実践を認めることができます。①と②からは、徹底した「我有化の否定」が導きだされました。それは、倫理の究極のように思われます。「我」とその「所有」が否定され、他者へのシンプルなプレゼントが求められるのです。しかし、一見したところ、これは厳しすぎる要請のようにみえます。こうした倫理を受けいれるとき、人間は、宙ぶらりんになるほかなさそうです。「我有化」の運動——《欠如分を所有し完全体になりたい》——が否定されたとき、人はなお、主体的な行為ができるのでしょうか。漂うばかりではあるまいか。純粋な贈与

＊19　時間論の観点からすれば、このような神との合一は、原因—結果の連鎖としての時間——A for B for C for D……——からハズレ、永遠性を受肉していることになります。これについて、ニーチェは次のように書いています。「『時刻』、時間、自然的生とその危機〔死〕などは、『悦ばしき音信』の教師〔イエス〕にとっては全然存在しない……『神の国』は、なんら待望されるようなものではない。それは、昨日をもたず明後日をもたず、『千年』待ったとて来ることはない（…）それは、いたるところに現存し、どこにも現存していない」（ニーチェ 1994: 216）。

ここでニーチェは、神の国について、以下3点を確認しているわけです。第一に、神の国が、過去—現在—未来という、直線的時間性を超えていること、第二に、福音的実践が見いだされるところでは、付帯状況として「いたるところに現存」していること、第三に、しかしそれを、律法学者が欲するように、固定させて提示することはできないということ（「どこにも現存していない」）。

また、ウィトゲンシュタインの次の指摘も参照。「永遠を時間的な永続としてではなく、無時間性と解するならば、現在〔A for A〕に生きる者は永遠に生きるのである」（ウィトゲンシュタイン 2003: 146）。

＊20　ニーチェはまた、すべての人に開かれた神の国というイエスの福音を、その弟子たちが裏切ったことを罵倒します。「誰にも神の子たるの資格をあたえるあの福音的な平等観は〔弟子たちには〕もはや我慢できなくなっ

とは、非人間的な出来事です、イエスは不可能を要求し、「狂え」といいました。「右手で行ったことを、左手に告げる勿れ」――でもそれは、人には不可能でしょう。それを実践するには、「奇天烈」や「人でなし」になるほかなさそうに思われます。

　ということで、追いつめられました。「他者の我有化」もダメ、「人でなし」もダメです。では、どうすればよいのでしょうか？　ここでニーチェは、イエスを「否定」から「肯定」へと反転させます。神との関係を逆転させるのです。すると、「人でなし」の意味が変わります。「鬼畜」でも「奇天烈」でも「狂気」でもなく、「神人」を意味することとなります。しかもそれは、目ざすべき目標ではなく、付帯状況へと変貌するのです。イエスは革命的なことを告げました。これまでの「信仰」、つまり、神を求め、救いを求めることは、神との倒錯的な関係にすぎないというのです。神を向こう側におき、自分との距離を測ってはいけません。同じように、「純粋な贈与」や「まったき倫理」を目標として設定し、それを目ざしてはならないわけです。求めたり、目ざしたりする以上、目的は外部に、門の外にあり続けるでしょうから。大事なのは、自分が倫理的になることではありません。[*21]困っている人や愛する人に、喜んでもらうことです。で、シンプルに助けたり、とんとんとんとプレゼントしたりするわけです。そんなときに私をつつむ、満ちあふれた幸せ以外に、神の国があるでしょうか。

ニーチェは、イエスが仏教徒であるといいました。すなわち「完全性が常態である」と。おそらく仏教徒にとって、悟りとは修行の外部にある目標ではありません（きっと）。[*22] 大悟した者が修行を継続する。あるいは、すでに救われている者が、念仏三昧をくり返すので

た。（…）ただ一つの神とただ一人の神の子、この両者こそルサンチマンの所産である（…）彼は神と人間との一体化をおのれの『悦ばしき音信』として生きぬいた……しかも特権としてではなく！」（ニーチェ 1994: 226-7　傍点原文）。

*21 思うに、倫理学のパラドクスはここにあります。義人の条件を確定したい律法学者が、義の対極へと落ちこんだように、現代の倫理学者が倫理を求めるあまり、その条件確定——「人は、これをこのように為せば、倫理にかなう」——を実行するならば、それもまた、倫理にもとる行為となるでしょう。倫理はモノではありません。よって、握りしめることはできず、事前に提示することもできないのです。学者たちと「善きサマリア人」は、それぞれの行為において、「対象」と「時制」が全く異なっています。確認しましょう。

　まず対象について。学者たちの場合、対象は「義」や「愛」や「倫理」それ自体にあり、これらを確定し、条件づけることが目的となっています。これに対しサマリア人の場合、目的はただ「具体的な苦しみの除去」にあるわけです。この「善きサマリア人の譬え」をなぞるかのように、サルトルは『倫理学ノート』の冒頭で次のように書いています。

「倫理的であるために、倫理を為す」という言葉は毒にまみれている。（…）倫理は、倫理以外の目的へと止揚されなければならない。のどが渇いた人に飲み物を与えるのは、（…）自分が良い人であるために、ではない。渇きをいやすためである。倫理は、自らを提示しつつ抹消し、抹消しつつ提示する。倫理とは、倫

す。日々大悟し、日々救われていく。これが常態としての完全性であり、神との間の距離の否定ではないでしょうか（③）。そのとき人間、いえ、神人は、我の外部、所有の外部で、日々愛を実践していくのではないでしょうか（④）。禅でいう「日日是好日」です。

邦文文献

- アレント（1994）『人間の条件』（志水速雄訳）ちくま学芸文庫
- ウィトゲンシュタイン（2003）『論理哲学論考』（野矢茂樹訳）岩波文庫
- 田川建三（1980）『イエスという男――逆説的反抗者の生と死』三一書房
- ニーチェ（1994）『偶像の黄昏　反キリスト者』（原佑訳）ちくま学芸文庫
- マルカム（1998）『ウィトゲンシュタインと宗教』（黒崎宏訳）法政大学出版局
- 八木誠一（2005）『増補 イエスと現代』平凡社ライブラリー

欧文文献

- Funk,R.W., Hoover R.W., and the Jesus Seminar (1993) The Five Gospels ; The Search for the Authentic Words of Jesus : New Translation and Commentary, Macmillan Publishing Company
- Ledure,Y. (1973) Nietzsche et la religion de l'incroyance, Desclée
- Sartre,J-P.(1983) Cahiers pour une morale, Gallimard

理の選択ではなく、世界の選択でなければならない。（Sartre：11 傍点原文、傍線引用者）。

サマリア人と同じように、人が、だれかの具体的な苦しみに対応しているとき、その時制は現在進行形とならざるをえません。ですから、引用文にある通り、倫理的実践においては、「自らを提示しつつ抹消し、抹消しつつ提示する」という時間性、「現在」に特有の時間性が必然化します。また、そうした倫理のあり方が、本文で強調した、行為のただなかでの「付帯状況」ということの意味なわけです。

これに対し、律法学者と倫理学者は、「あるべき姿」を未来に設定し、命令形で進むべき道を提示します。「目的の国、約束の地に到達するために、この狭き門を抜けよ、そのためにはこれを為せ」——「教え」とは、たいていの場合、こうした形式で示されます。ということで、たいていの「教え」は、詐欺なわけです。なぜなら、「我有化の放棄」こそが、門を抜けている（完了形！）ということなのですが、この「教え」の形式は、我有化を誘発せざるをえないからです。門を示してはいけません。隔たりを示してはいけません。それを「抜けよう」とするwill（意志＝未来）、また「距離を埋めよう」とするwillが、逆説的に、門を抜けられない原因となってしまうからです。わなですわな。

思うに奇跡（＝門を抜け神の国にいる）とは、起こそうとして起こせるものではありません。完了形として、「起きてしまっていた」事態として、それは経験されるものです。でも学者たちは、事の前に、条件を確定する誘惑に囚われてしまいます。というのも、「事前条件」がさだまれば、具体的な状況に依存しない超越論的倫理学（いついかなる状況でも妥当するウルトラ倫理学）が可能となりそうだからです（こんなに、学者は弱いのです）。別のいい方をすれば、自分で、奇跡を起こせそうな気がしてくるからです（こんなんに、人間は弱いのです）。もちろんこの理想、この憧憬は、我有化より出発しています。条件確定によって倫理を対象化し、それを所有する未来を夢見てはなりません。いま現在、事の次第に動揺すること、これが倫理的であることの条件なわけです。

ややや！　いま私が書いたこの一文は、明らかに自己言及的な誤りを犯しているようです。「事前の条件確定の否定」という条件を、事前に確定してしまったからです。あるいは、「倫理的であること」自体を、目標としていたからです。うーむ。倫理を対象として語るときには、いたるところに落とし穴がありますね。しかし、では、どうすればよいのでしょうか？　倫理にかないながら、倫理を語ることは不可能なのでしょうか？　ということで、先生に聞いてみましょう。イエス先生が律法学者に隣人愛を伝えるとき、先生はどのように振る舞ったのでしょうか？　なるほど！　譬え話でしたか！　サマリア人の動きを、事後的に、過去の譬え話として提示し、「あなたも同じようにしなさい」と促したわけです。倫理は、未来志向でポジティブに教えるものではなく、過去の具体例を媒介に誘っていくことなのでしょう。倫理学ではなく、譬え話、これが倫理を伝える際の作法とはいえないでしょうか。

＊22　道元の「修証一等」を想起しましょう。これについては、拙稿「学びの究極――鬼を脱落させる術の修得」（『山岳新校、ひらきました』所収、H.A.B、２０２３年）を参照してください。

イエス論2　政治と文学、あるいはマキァヴェッリとイエス

『福音書』と『君主論』

まず、次の2つの文章を対比させよう。1つは『ルカによる福音書』であり、もう1つはマキァヴェッリの『君主論』である。その主張の対照性のうちに、「政治と文学」をめぐる古典的な問題の核心が表現されている。

あなた方のうちに百匹の羊をもっている者がいたとする。その1匹がいなくなったら、99匹を野原に残しておいて、いなくなった1匹を見つけるまで捜し歩かないであろうか。そして見つけたら、喜んでそれを肩に乗せ、家に帰って「私と一緒に喜んでください。いなくなった羊を見つけましたから」と言うであろう。(『ルカによる福音書』)

君主にとって、信義を守り、奸策を弄せず、公明正大に生きることがいかに称賛に

値することとかは、だれでも知っている。だが、現代の経験の教えるところによると、信義などまるで意に介さず、奸策を用いて人々の頭脳を混乱させた君主が、かえって大事業を成しとげている。しかも、結局は、彼らの方が信義にもとづく君主たちを圧倒してきていることがわかる。（…）こういうわけで、名君は、信義を守ることがかえって自分に不利を招く場合は、信義を守ることはしないであろうし、また守るべきではないのである。もっとも、この教えは、もし人間がみな良い人間ばかりであれば、間違っているといえよう。だが、人間は邪悪な者であって、あなたに対する信義を忠実に守ってくれる者ではないから、あなたの方も人々に信義を重んずる必要はない。そのうえ、信義の不履行を、合法的に言いつくろうための口実は、君主にはいつでも見いだせるものである。（…）結局、君主に必要な徳とは、ライオンの勇気とキツネの狡知である。

（『君主論』）

この2つの文章は、ヴェーバーのいう「心情倫理」（Gesinnungsethik）と「責任倫理」（Verantwortungsethik）を、それぞれ表現しているのではないか。前者は、行動の倫理的基準を動機の純粋性におく。よって、羊飼いの行為は、迷い子の救済という善き心情に発するものである限り、倫理に適った行いとして認めうるのである。だが、動機ではなく、予測される結果の観点から判断すればいかがであろうか。99匹を野に置きざりにしたまま1匹を探し求めるとき、さらに多数の羊が迷ってしまうのではないか、あるいは狼に襲われたりはしないか。しかし、福音書の「心情倫理」において、羊飼いが行為の結果責任を問われることはない。というのも、出来事はこの世で完結しないからである。後の世における神の裁き、これが最後の審判として存在する以上、結果責任を担うのは、此岸における羊飼いではなく彼岸における神となる。この世とあの世は連続して1つの世界を形づくっており、そしてその世界では、神が最終的な意思決定を行う。ゆえに、出来事の最終責任者も、神以外ではない。「キリスト者は正しきを行い、結果を神に委ねる」。

ならば、ヴェーバーが論じるように、「心情倫理」と政治とは相容れないものとなろう。政治が担うべきは、この世の秩序であり、それに関する意思決定である。よって政治は、此岸で完結した世界を前提としなければならず、また出来事の結果責任を、政治の外部（神、宿命、偶然等）に転嫁してはならない。意思決定と結果責任は不可分なのである。為政者に求められるのは、行為の結果を予見し、手段の有効性を考量する「責任倫理」にほかならない。迷える1匹を放置して、まずは99匹の安全を確保する非情、実存（この羊）を数値に還元し、1対99の合理計算を行う非情が、政治のデモーニッシュな使命となる。高潔な人格を有し、美しい理想を掲げつつ国益を損なう者よりも、品性下劣であれ、現実に国益を伸張させる者が、為政者には望ましい。必要なのは、魂の善さではなく政治的力量であり、人間の内面と外面を切り離して捉える思考である。これが、マキァヴェッリの教えであろう。『君主論』と『福音書』は、真逆の命題に満ちている。

イエスは、内面と外面の一致を求め、その不一致を偽善として批判した（「心の内で姦淫した者は、姦淫の罪を犯している」「あなたたち偽善者は不幸だ。白く塗った墓に似ているからだ。外側は美しく見えるが、内側は死者の骨やあらゆる汚れに満ちている」）。だがマキァヴェッリは、上記引用で明らかなように、偽善（＝裏表ある行動）を積極的に奨励しているのである。本稿では、マキァヴェッリとマキァヴェリズムとの関係という政治思想史上の一大問題にはふれまい。ここではただ、いわゆるマキァヴェリズムが偽善や権謀術数を推奨する理由、およびその前提条件を確認しよう。

『君主論』の記述から明らかに、マキァヴェッリは人格の高潔さではなく行為の結果を、為政者に関する評価基準と考える。ここからは、プロセスを結果や効果に従属させる志向が芽ばえよう。その行き着くところが、目的（＝よい結果）のためにはあらゆる手段が許されるとする考え、すなわちマキァヴェリズムにおける権謀術数の肯定と思われる。だが、こうした考えが成り立つためには、その前提として、目的が手段から切りはなされ、手段に影響されずに存在し続ける必要があろう。両者が切断されない場合、たとえば政治の目的を「幸福」や「正義」と見なすとき、詐術・暴力などの手段は「幸福」や「正義」という目的そのものを傷つけかねない。ゆえに、権謀術数は忌避されるのである。逆に、権謀術数が奨励されるのは、目的が手段から独立して存在し、為政者はただ、より迅速確実な目的達成に邁進すればよいという考えにもとづくときである。これは政治が、目的合理性に貫かれたゲームとして捉えられたことを意味しよう。ゲームという事象の特性はなにか。1つには、ゲーム内部において、プレイの目的が所与で自明な点に求められる。「ゲームの勝利」以外に目的など存在しえないからである。人は人生のなかで、生きる目的を疑い、行きつく先を問いなおしつつ歩んでいく。これに対しゲームでは、プレイヤーは目的（勝利）を疑いつつプレイすることはない。疑いうるのは、外部の視点からゲームを見たときのみであろう。「このゲーム、面白いか？　やり続けるべきか？」と問うことはできても、ゲーム内部で、ゲームの目的を疑うことはできない。もし、勝利以外の目的でプレイしたとしたら（たとえば、力士が八百長でわざと負けたら）、プレイヤーの資格を失うほかないのである。みなが勝利を目ざしプレイすること、これが、ゲームが成立する要件である。同様に、マキァヴェリズムにおいて、政治的行為の目的は、国益の伸張・パワーの増大として疑われることはない。目的が所与である場合にのみ、政治はパワーゲームとして純粋化するのである。

マキァヴェッリとともに、政治の自覚的な近代化がはじまる。宗教や道徳から切り離され、政治固有の領域が「善さ」から「力」へと傾斜していくのである。近代科学は、数値化される「量としての力」を抽出し、爆発的な進歩を遂げた。近代の政治学も、「善さ＝質」とは異なった「量としての力」を見いだすことで、宗教や道徳からの自立を果たすのである。政治は、この世で結果責任を担わなければならない。国力の増大こそ、政治の使命である。よって、迷える1匹に没入し、ほかを顧みないあり方は、為政者の姿ではない。パワーの増減（量！）を直視せよ。これが近代における政治の至上命題と思われる。

文学としての『福音書』

では翻って、迷える1匹に寄りそうことは、宗教にのみ許される行為なのか。イエスの言葉は、彼岸を前提とする場合にだけ意味をもち、この世で完結した世界では不条理（absurd）として斥けられるべきなのか。この問いに対し、福田恆存《つねあり》は「否」と答えている。「一匹と九十九匹と」という評論のなかで、福田は、1匹に寄りそう行為を宗教ではなく「文学」の使命として捉え返すのである。福田にとってルカ伝の言葉は、「政治と文学との差異をおそらく人類最初に感取した精神」によるものであった。

善き政治はおのれの限界を意識して、失せたる一匹の救いを文学に期待する。が、悪しき政治は文学を動員しておのれにつかえしめ、文学者にもまた一匹の無視を強要する。(…)しかし善き政治であれ悪しき政治であれ、それが政治である以上、そこにはかならず失せたる一匹が残存する。文学者たるものはおのれ自身のうちにこの一匹の失意と疑惑と苦痛と迷いとを体感していなければならない。(原文改行)この一匹の救いにかれは一切か無かを賭けているのである。なぜなら政治の見のがした一匹を救いとることができたならば、かれはすべてを救うことができるのである。ここに「ひとりの罪人」はかれにとってたんなるひとりではない。かれはこのひとりをとおして全人間をみつめている。(「一匹と九十九匹と」)

福田がいうように、政治には「失せたる一匹」が生ぜざるをえない。意思決定を担い、結果責任を負うのが政治であるならば、固有名をもった単独者一人ひとりに向きあい続けることは不可能である。税であれ社会保障であれ市民権の範囲であれ、なんらかの決定はつねに境界画定をともない、境界の外部にこぼれ落ちる者を生む。また、責任倫理の観点から、結果を予測しつつ手段を考量するには、固有名を「n=1」に還元した上での合理計算が不可欠である。福田は、政治のこうした特性を承認しつつ、だからこそ文学の側は「この一匹」の救いに「一切か無か」を賭けるべきだと説く。また、1匹の救いがすべての救いであると主張するのである。むろん、宗教者ならざる福田は、あの世での贖いを語っているのではない。この世での救いに賭けているのである。だが、なぜそういいうるのか。どうすれば、「この1人の救済＝全人間の救済」が成り立つのか。「単独性＝普遍」が成立する理由（reason）はあるのだろうか。

福田とともに、福音書を文学の観点から読むこととしよう。福田は、「文学者たるものはこの一匹の失意と疑惑と苦痛と迷いとを体感」すべしと書いた。ここでいう文学の観点とは、固有名に躓きつづけることである。たとえば、ドゥルーズ&ガタリは「文学は母国語をどもることだ」と主張する。彼らは、母国語によって構成されたなじみある世界に、固有名が回収されていく動きをノックさせよと、文学に命じているのである。この観点からすれば、福音書は確かに文学、「躓き」や「吃音」の文学として読むことができよう。固有名に向きあうイエスの言動は、なじみある世界、意味や理由に満ちた世界を突きくずし、我々に不条理な命題を課してくるからである。

イエスの命題

紙幅の関係上、ここではだれもが知る2つの言葉だけを取りあげよう。なぜイエスは、このようなバカげた（absurd）要請を行っているのか。

汝の敵を愛せ。
右の頬を打たれたならば、左の頬を差しだせ。

一見したところ、これは不条理かつ不可能な要求である。理性的な（rational）人は、この言葉を本気で実行しようとは思うまい。ただ、イエスが例によって極端な言葉で、我々の常識を揺さぶるところに意義を見いだすのみであろう。日常なじみの世界を反省する契機として、イエスの要請は意味づけられるのである。理性的な人は、この言葉を生きようとはしない。あるいはまた、宗教批判を旨として福音書を分析する者は、イエスのこの言葉をルサンチマンの極致と見なし、弱者のゆがんだ欲望をあらわすと説明するかもしれない。「汝の敵を愛せ」、なぜ、キリスト教は戦わず、包摂しようとするのか。それは、現実世界で虐待されている自分を、イマージュにおいて救済し絶対化するためではないか。「右の頬を打たれたならば、左の頬を差しだせ」、こうした全くの受動性は、逆説的に、内面におけるマゾヒスティックな全能性と結びつく。福音書から読みとくべきは奴隷道徳であり、すべてを呑みこむために自己を無化する宗教的倒錯にほかならない。なるほど、こうした解釈もまた、説得力をもちうるかもしれない。

しかし本稿では、こうした捉え方とはまったく異なった解釈を行う。この言葉の意義は、日常を反省させる非日常的契機にあるのではない。イエスは、日々の具体的実践を求めているのである。また、この言葉はルサンチマンの表現ではない。逆に、ルサンチマンを溶かし、魔を霧消させるところにその狙いがある。イエスは、世界を生きると同時に、世界を脱落させて生きよと命じているのではないか。

世界は意味や理由に満ちている。父祖を殺した敵を憎み、ともに戦った隣人を愛することは、理に適っている（reasonable）。「目には目を、歯には歯を」は理に適っている。こうした有意味な関係性の連鎖が「世界」を形づくり、人間には善悪正邪の重力場が与えられるのである。だがそれは、固有名を、意味や理由の体系へと回収することにつながらないだろうか。父祖を殺され、土地を蹂躙された者の恨みは深い。敵を憎む重い理由が認められよう。よって、敵の兵士と遭遇するとき、「その男」を「敵の兵士」という意味へと還元し、殺害することは、理に適っているのかもしれない。だが、敵の実存と自分の実存は、「理」(reason)に還元可能なのか。意味世界に回収可能なのか。

思うに、「魔」あるいは「鬼」とは、理の外部にある不分明な事物・事象を、それでもなお意味や説明体系に回収しようと生みだされた言葉であろう。人は耐えがたい不条理に直面するとき魔の力学に誘惑される。日常世界のリアリティが失われ、条理からハズレた宙づり状態(ハムレットのいう「世の関節が外れた」状態)のなかで、人は手足を自在に動かすことすらままならなくなる。だから、なんとしても、意味の重み、固い地盤を欲し、魔に囚われていくのではなかろうか。愛する者を殺されたとき、人は喪失の不条理に漂う。なお生きようと欲するとき、「復讐」に自己の存在理由(raison d'être)を一元化し、鬼と化す誘惑に身を委ねよう。意味づけによる、宙づり状態の解消、その最後の手段が「魔」であり「鬼」なのである。

実存と固有名

しかし、そもそも実存が意味世界の外部にあるとしたらどうだろうか。これを肯定することからはじめた場合は、魔の力学とは異なったあり方において、耐えがたい不条理への対応が可能となるのではないか。以下述べるように、本稿ではイエスをこうした観点から解釈するが、その前にまず、いわゆるフランス実存主義が、実存をまさに不条理と規定していたことを確認しよう。実存の第一の特性は、意味や役割に回収しえない過剰性、サルトルがいうところの「余計もの」（de trop）ではないか。「この私」は、「男」であり「奈良市民」であり「大学教員」であり「酢豚愛好家」である。しかしこうした意味規定を無限に連ねたところで、「この私」を規定しつくすことはできまい。実存は説明体系からつねにハズレる過剰であり、条理の外（absurd）にある。唯一固有名だけが、意味や説明とは無関係に、実存をマルゴト指ししめすのではないか。「この私」は「ホッタシンゴロウ」である。

　そして、シンゴロウはハズレであり、かつマヌケである。あらゆる意味規定から逃れる（ハズレ）とともに、シンゴロウからは逃れられない（マヌケ）。来年大学から撤退し、酢豚との悪縁を断とうと、「この私」はずっとシンゴロウであり続ける。意味規定からのハズレゆえ、最終的には同語反復で表現するしかないマヌケ（シンゴロウとは、シンゴロウである）、これが実存の条件にほかならない。対して、「大学教員」はマヌケではない。説明体系（＝大学で教育・研究に従事する者）のなかに、「間が抜ける」ことなく、キッチリすっぽり収納されるからである。ゆえに、「大学教員」は存在することができない。それは、意味であり、説明概念にすぎない。現実に存在する者（＝実存）は、つねに意味や説明からはみ出る過剰であり、マヌケなのである。

さて、ここまで「固有名＝不条理＝実存」と、「意味＝理＝世界」との対照的な関係を確認した。これにより、なぜイエスが常軌を逸した課題を突きつけるのかも明らかとなる。「汝の敵を愛せ」「左の頬をも差しだせ」この2つの教えは、だれもが知る有名な言葉である。だが、そもそもなぜこんなに有名なのか。思うにそれは、あまりにバカげているからではないか。山上の垂訓として知られる言葉たちのなかでも、この2つは実にわかりやすく、わけがわからない。そしてイエスは、まさしくバカげたことを、不条理の一撃として発したかったと思われる。むろん、意味世界を痙攣させ、その重力を一時停止させるためである。蹂躙された者の恨みは深く重い。だがその恨み、その深き重みを、「決して究極の真剣さで受けとめてはならない」。最後から1つ手前の真剣さで、真剣に受けとめなければならない」。カール・バルトと同じく、イエスもまたそう語っているのではないか。人は、恨みを究極の真剣さで受けとめるとき、魔に憑かれ復讐鬼と化すのである。ゆえにイエスは、蹂躙された者たちに命じる。「敵」と「復讐」にではなく、自分と相手の固有名に向きあえ。実存の究極が不条理であり過剰であるならば、なにをもってしても、実存を限定しつくすことはできない。固有名、たとえば「シンゴロウ」はマヌケである。マヌケには、恨みからさえはみ出す軽さがある。それを笑え。もし、可笑しさのあまり左の頬をも差しだしていたならば、その瞬間、恨みと復讐の世界は脱落する。奇跡が、愛が、生じているのである。[*23] そのとき相手側、不条理にも愛されてしまった敵は、驚きのあまり「な、んな、なん、で?」と母国語をどもるかもしれない。それを笑え。実存は限定不可能、すなわち無限である。ならば、敵を愛する可能性もまた、決して究極的には閉ざされていないのではなかろうか。世界は脱げる。あ、もう脱げている。イエスは我々に、そう語っているのである。

単独性＝普遍

では、福田に対する問いにもどろう。先に福田に対しては、なぜ1人の救済が人間すべての救済と等価になるのか、また「単独性＝普遍」という等式が成り立つ理由（reason）はありうるのかと問い、答えを保留しておいた。これについても、さまざまな解釈が可能であろう。たとえば、キリスト教の文脈で、単独者と罪の問題を捉えたとき、「この私」がイノセントであると断言できる者は存在しない。万人が自分だけに固有の、かつ、だれひとり逃れられない罪に苛まれるのである（単独性＝普遍）。しかし本稿では、この等式について、固有名と意味世界との関係から読みとこう。結論からいえば、「単独性＝普遍」

という等式が成り立つ理由（reason）はない。だが、理（reason）のかなたで、不条理のうちに成立するのである。

まず、羊飼いのなじんだ世界、羊を生計のたよりとする意味世界において、1匹の羊とすべての羊が等価である理由は見いだしえない。1匹と100匹では、後者が100倍重いのである。だが、固有名ないし実存の観点から考察すればどうであろう。先に確認したように、固有名は、無限としての実存を、意味規定の向こう側に指ししめす。ならばその場合、通常の合理的な（rational）算術を超えた、無限論に特有の数学が求められるのではないか。周知のように、無限を対象とするときには、不条理な等号が成立する。無限Aをいくつ足しあわせても、無限として等しいのである。よって、「無限A×1＝無限A×100」が成立し、1匹と100匹すべての羊とは、理を超えた等号で結ばれるこ

＊23　「存在の不条理な肯定」としての愛は、「イエス論1 倫理とイエス」を参照。また、そうした愛が、固有名の同語反復として表現される点については、「補論2 知性と反知性」を参照。後者では、ジュリエットの有名な「ロミオ、ロミオ、どうしてあなたはロミオなの?」という言葉を題材に、「愛＝固有名の反復」について明らかにした。シンゴロウがどこまでもシンゴロウなのと同様、ロミオはどこまでもロミオである。「シンゴロウ＝シンゴロウ」「ロミオ＝ロミオ」、ただ同語反復するしかないマヌケを、そのまま熱烈に肯定すること、この不条理な出来事が、シンゴロウへの愛、ロミオへの愛ではなかろうか。

となる（単独性＝普遍）。無限は量ではない。数でもない。実存の比較考量は不可能である。したがってより正確には、実存をイコールで結ぶ所作、「等価」「等号」という言葉づかいそのものが空しいというべきであろう。無限に対しては、ただ肯定するほかあるまい。自分が無限であること、この笑うべき事態において、既存の意味体系は脱落する。苛まれつづけた世界が脱落するのである。無限が開示されたとき、すでに羊たちは救われているのではなかろうか。

展望：政治と文学について

ここまで政治と文学それぞれの特性を対比的に確認した。政治とは責任倫理を担うものである。それゆえ、固有名に寄りそい続けるわけにはいかない。実存をたとえば数値に還元し、合理計算する必要が生じるのである。これに対して、「文学においては固有名しかない」とデリダは看破する。もし、その男の実存を「人殺し＝悪」と最終的に意味づけ可能であれば、この世には文学が存在する余地はない。その場合、必要なのは合理的な司法システムのみであろう。だが人はどこにでも行く。どこまでも行く。悔悛を偏愛するがゆえに、殺人をくり返すこともありえよう。意味と実存とのズレ、文学はこれを問題化するのである。

さて、政治と文学の対照性を前提とした場合、文学の政治思想上の意義は、政治の暴走に対する歯止めの役割と見なされるのではないか。政治には、つねに固有名を抹消する力学が働く。よって文学が、実存の回収不可能性を開示するとき、それは政治が自らを反省する外在的契機となりうる。その限りで、政治的意義をもつと認められるのである。試みに、政治思想史の教科書のなかで、イエスがどのように描かれているかを確認しよう。そこで強調されるのは、明らかに彼の言動の非政治性である。たとえば「カエサルのものはカエサルに、神のものは神に」という言葉が引用される。イエスは、政治的パワーの担い手カエサルにも支配しえないなにものかを、人間の実存のうちに認めたのであり、この徹底した非政治性こそが、逆説的に政治思想史上の意義として強調されるのである。イエスによって、人間の内面は、権力の及ばない非政治的領域（＝「神のもの」）として認められた。これは、人間のトータルな支配を目指す全体主義（＝政治の暴走）への歯止めとして、政治的意義をもつといえよう。イエスの思想は、政治権力の限定を図る近代自由主義の淵源として評価されるのである。

固有名を解消する政治に対し、固有名を開示する文学、こうした捉え方においては、政治に反省を促す契機として、文学の政治的価値が認められる。逆にいえば、固有名に寄りそう文学を、本気で現実政治に当てはめてはならないこととなる。というのも、イエスのメッセージを文字通り実践した場合、その帰結は、恐ろしい神権政治となりうるからである。その国では、各人の内面にまで権力が介入し、逃げ場が失われる。たとえ1匹の羊が脱出を試みたとしても、すぐに羊飼いによって群れへと引きもどされるであろう。ルカ伝の意味あいが、ここでは、皮肉な様相を示すほかない。権力への批判者、群れからの逃亡者は、「迷える子羊」と意味づけられ、ありがたいことに、自らの救いへと連行されるのである。フーコーは、このカラクリをくり返し論じていた。「羊飼い＝司祭」のいるキリスト教社会では、救いは義務づけられており、天国を拒否する自由が認められることはない。全員が全員の「この私」を救済すべく、心を尽し、思いを尽し、力を尽すのである。こうして、固有名に寄りそう行為が人々から固有性を奪いさり、イエスは、そのメッセージを第一義的な真剣さで受けとめられるがゆえに、裏切られることとなる。『福音書』を現実政治と結びつけてはならない。これは、イエス自身が言明したことではなかったか。「私の国はこの世に属してはいない」のである。

神の国、あるいはユートピアは、原義通りこの世のどこにもその場所をもたない。それは、理想社会の建築に向けた設計図ではない。政治は、非現実（＝理想）の提示による現実批判という観点、いわゆる「ユートピアの効用」という観点からのみ、文学とつき合うべきなのである。イエスとともに、現実に1匹を追う者は政治家ではない。

思うに、「政治と文学」をめぐっては、このように両者の相反性が強調されてきた。政治と文学は、水と油である。決して融合することはなく、融合させてはならない。マキァヴェッリは、迷える1匹を切る果断を説き、イエスは1匹を求めて野をさまよう。この対照的な両者を、双方を裏切ることなく接合することなど不可能というほかない。これまでは、だれもがそう考えてきたのである。しかし、そうした不可能性は、両者を同じ次元、同じバーの上で、水平軸で捉えるから生じてしまうのかもしれない。では、水平ではなく垂直に、あるいはメタレベルとオブジェクトレベルのちがいとして捉えたらどうか。その場合には、両者を裏切らない接合もまた、可能となるのではあるまいか。

地平（メタレベル）としてはイエスにしたがう。イエスと同様、実存を不条理なまま肯定するのである。実存の観点からは、義・不義、敵・味方の区別なく、存在者をあまねく肯定するほかあるまい。イエスは、放蕩息子や罪人もまた、選別することなく招きいれた。この普遍的な愛が、その後に続く選別的な意思決定（＝政治）の地平となる。イエスもまた、肯定（＝愛）のみを説いていたわけではない。放蕩息子や罪人を受けいれつつ、「放蕩」や「罪」を否定していたはずである。なぜか。むろん、「放蕩」や「罪」が、ほかの人間を苦しめ傷つけるからである。ここに、倫理や政治の起点、選別的な意思決定の起点がある。固有名や実存に向きあい続け、であるがゆえに、それを傷つける暴力や、回収しようとする力（＝政治的イデオロギー：神権政治であれ、マルクス主義であれ、ナショナリズムであれ）に対して、「抵抗」や「反抗」の政治活動を実践するのである。理想社会の実現ではなく、ひとつずつ「暴力」や「苦」を取りのぞいていく実践、これは、イエスを裏切らない思想だとはいえよう。問題は、こうした抵抗や反抗の実践（オブジェクトレベル）が、マキァヴェッリの基準からして「政治的リアリズム」たりうるかという点にある。

では、マキァヴェッリが捉える「政治」の核心とはなにか。『ディスコルシ』と『君主論』との関係等、マキァヴェッリ解釈は数百年にわたり紛糾している。だが、マキァヴェッリが切断の思想家であると主張しても、大きな反論はあるまい。宗教・道徳と政治との切断、価値と事実との切断、「希望＝目的」と「現実＝手段」との切断、そして彼は、後者を冷徹に思考する。両者が切断されない限り、人は思考せず、世界を夢想するイデアリストにすぎない。思うに、マキァヴェッリの画期性は、共和国や君主国に関する新たな知見、つまりは思想の内実にあったというより、政治への新しい姿勢・態度にこそあったのではないか。彼は、「まず、用心しろ」といったのである。

ソクラテスとイエス、西洋思想の２つの源流は、知と行動の一致、内面と外面の一致を説いた。だがそれは、「存在」に対する根拠のない信頼にもとづき、その不条理を見ていないとマキァヴェッリは批判する。その信頼がある限り、人は「正しさ」と「善さ」を求め、「危険」について思考することがない。しかし、現実の基底には、真や善とは無関係な「存在の不条理」がある。行動する者はつねに、道徳や規範から切断された純粋な「力」の動きを見すえていなければならない。いつどこでなにが起きるか分からない。天災、クーデタ、裏切り、暗殺、食あたり――これが現実であり、したがってライオンが果断に「ヴィルトゥ（力量）」を発揮するためにも、まずはキツネのごとき「用心」が必要なのである。

マキァヴェッリの画期性は、目的ではなく手段に、あるいは態度・姿勢に光をあてた点にある。目的は、時代や状況にあわせて「共和国」「新しい君主国」「統一イタリア」と変化するかもしれない。だが、一度目的を定めたならば、まず用心し、「存在の不条理」を直視し、世界を夢見るなと彼は説く。現実生活で、マキァヴェッリを友としない者は、たんに目的に対して真剣ではないことの証左かもしれない。真剣であるならば、一挙手一投足に気を張り、用心すべきなのである。

以上、マキァヴェッリの「政治的リアリズム」の核心が、たんなるパワーゲームの追求ではなく、「用心」にあり、イデアリズムへの批判にあることを確認した。ならばそれは、イエスの地平にもとづく「抵抗・反抗の政治」と合致する。イエスは、イデアリストではない。一見とは逆に、イデアリズムへの批判者なのである。「正しさと善さ」に導かれ、この世界で、理想の実現を目ざす立場——これがイデアリズムならば、イエスはそれを斥ける。というのも、その場合イデアリズムは、距離を埋める欲望の虜だからである。理想社会、ユートピアはかなたに存在する。イデアリストは、これを「所有」し、「ここ」と「かなた」の距離を埋めるべく、人々を導き裁くであろう。そのあたりの消息は、「イエス論1倫理とイエス」で論じたため、いまはくり返さない。ここではただ、イエスの核心を確認するにとどめよう。イエスにとって、理想はつねにすでに実現されている。ただしそれは、「この世界での実現」ではなく「この世界の脱落」においてあらわれるのである。よってイエスは、上記イデアリストの立場とラディカルに対立する。

同じく、「世界を夢見ないこと」「存在の不条理」に関しても、イエスは、マキァヴェッリ以上にラディカルに、これを見すえている。具体的な「暴力」や「苦」を、ひとつずつ取りのぞく実践は、ゲーム的な観点からいえば、永遠に続く敗北以外ではない。イエスの徒は、これを自覚した上で、なお実践を反復するのである。決して、勝利を夢見ることはない。人間の能力には限界がある。存在の不条理に対し、「用心」など、所詮は無に等しい。養生・節制のあげく、餅をのどに詰まらせ死ぬかもしれない。だが、こうした不条理を肯定しつつ、なお、一挙手一投足に用心するのである。イエスの徒は、最後から1つ手前の真剣さにおいて、マキァヴェッリの弟子であり。そして究極の真剣さにおいて、「存在の不条理」を不条理にも肯定する。メタレベルとオブジェクトレベルで捉えれば、イエスとマキァヴェッリの接続もまた、不可能と断じきれなくなりはしないか。我々は、1つの可能性として、「政治的リアリズム」と「固有名の文学」の融合を思考しうるかもしれない。マキァヴェッリとともに世界に立ち、イエスとともに世界を落とす。

5章　補論2　知性と反知性

――ソクラテスを起点に

1　はじめに

真・善・美と、その対義語とのあいだに明確な境界を引くことは難しい。ある地平における真が別の地平では偽となり、善を求める先に悪が待つ事態は往々にして見られよう。「きれいは汚い、汚いはきれい」と、『マクベス』の魔女は歌っていた。美醜もまた、パースペクティヴの変化により、またたく間に反転しかねないのである。ことは、知性と反知性においても同様であろう。両者を明確に区別することは可能なのか。かつて論壇をにぎわした「反知性主義」という言葉も、当時から、そのフレーズで人を批判する者が、それに陥るという逆説が指摘されていた。真・善・美、そして知性、こうした根源的な価値については、その本質を画定する形而上学的な野望はすて、ただ個々の出来事の具体的な判断に徹するべきかもしれない。

この小稿の目的は、しかし、知性と反知性の境界を開示するところにある。この作業が成功すれば、知性が反知性へと落下する閾について、また逆に、反知性の証が、知性のそれへと逆転するパラドクスについて明かすこととなろう。考察を進めるにあたって、property（固有性・所有・財）という概念を補助線として導入する。以下、まずはプラトンの対話篇を題材に、知性とpropertyの相反性に光をあて、ついでサルトル『ユダヤ人問題についての考察』に依拠しつつ、反知性とpropertyの親和性を確認したい。propertyを参照項に、ソクラテスと反ユダヤ主義を、知性の祖型／反知性の典型として対照させるのである。これにより、反知性とは「propertyの魔術的な肯定」と定式化される。

この作業の後、議論はその方向をターンさせる。それまでソクラテスとサルトルに即しつつ、知性を肯定し反知性を批判してきたが、ここで2人の哲学者への疑問が提出される。知性の核心にlogosがあるとして、logosはその原義上、不条理を肯定することはできない。しかし他方、実存主義が説いたように、実存の第一の特性は不条理なのである。ならば、logosとしての知性は、実存への暴力とはならないか？　こうしたロゴス中心主義への批判を逃れるために、知性は次の問いに答えなければならない。「知性は自らを維持したまま、propertyの不条理な肯定が可能か？」もちろん、propertyの合理的な肯定は近代市民社会の要件であり、知性と相反することはない。だが、非合理的・不条理な肯定はいかがか？　それは反知性、すなわち「propertyの魔術的な肯定」とはならないか？　こうした問いを吟味することで、本稿は、知性と反知性の境界について思考したい。知性は、反知性に陥ることなく、ロゴスの暴力を回避しうるか、これが探究すべき中心命題である。

2　知性の祖型：ソクラテスの無敵[*1]

「私は知的である」と語ることは可能か？　むろん、物理的には可能であるが、しかし意味の次元においてであれば微妙である。「私は知的である」と口に出した瞬間、その人間はマヌケの相の下にあらわれることとなる。間尺があわない。間がぬけている。というのも知的な人は、普通「私は知的である」などと発言しないからである。なぜか。知性は運動であり、更新であり、モノのごとき不活性な惰性態ではない。よって知的な人は、つねに知性を求めつづけ、「私は知的ではない。知的でありたい」とネガティヴに語るであろう。逆にいえば、「私は知的である」という語りは、知性を所有可能な財（property）として、モノのごとく捉えているのである。これは、知の所有者ソフィスト、知を商品として売りさばくソフィストのあり方にほかならない。[*3]

ゆえに、ソクラテスはとまどっていた。カイレフォンがデルフォイの神託「ソクラテス以上に賢い人はいない」を伝えたからである。ソクラテスの知性は、これを肯んじえない。

「いや、私は自分が無知なることを知っている。私は知者ではない。知を有してはいない」。ここから彼のライフワークがはじまる。了解しえない神託の意味を探るべく、自称他称の知者たちと対話を行い、自分以上に賢い人間を見いだそうと試みるのである。結果、彼は神託の真なる意義を知る。賢明の誉れ高き人びともまた、ソクラテスと同じく、究極の問い(「徳とはなにか?」「善とはなにか?」)に対し無知であることが、対話において暴かれるのである。ソクラテスより賢い者はいない。人間の知はしょせん無に等しいが、ただソクラテスのみ、その無を知るからである(無知の知)。ソクラテスは、人間の知性を運動として、あくなき探究として提示した最初期の人であり、知性の祖型といいうるのではないか。

＊1 本稿は、古代ギリシア思想の門外漢による試論である。厳密なテキストクリティークはむろん、ソクラテスをめぐる解釈史についても詳らかではない。ただ、知性の祖型としてのソクラテスを素描するにすぎない。

＊2 ここで「普通」に傍点をつけたわけは、ニーチェの『この人を見よ』を念頭においているからである。そこでニーチェは、明らかにソクラテスを意識しつつ、「なぜ私はこんなに賢明なのか」「なぜ私はこんなに利発なのか」というタイトルの下、知性の証としてのマヌケをこれ見よがしに楽しんでいる。これについては後述する。

＊3 現代日本は、古代アテネ以上に、ソフィストたちの活躍がめざましい。『知的な女性の話し方7つのポイント』的な、「教養新書」的な、恥ずかしいタイトルの書物が売れまくっている。

以下、ソフィストとソクラテスの対話を検討し、なぜ議論においてソクラテスが無敵であったのか、その理由を探ることとしよう。それにより、ソクラテスが範を示した知性のあり様も明らかとなる。

俎上にのせる対話者は、19世紀社会思想の遠い祖ともいうべきトラシュマコス、カリクレスである。[*4]ラスコーリニコフやニーチェの超人思想、あるいは社会ダーウィニズムを思わせる彼らの主張は、ピュシス（physis）とノモス（nomos）の二元論から出発する。ピュシスもノモスも人間の規範として存在するが、前者が自然の本来性、普遍性、不変性をあらわすのに対し、後者はポリスにおける法や慣習であり、各ポリスによって異なっている。この二元論を前提に、彼らソフィストは、プロタゴラスとともに相対主義を宣言する。「人間が万物の尺度である。有るものについては有るということ、無いものについては無いということとの尺度である」。注意すべきは、「万物の尺度としての人間」の意味あいであろう。それは「人類」ではなく「個々人」を指す。ゆえにプロタゴラスの言葉は、価値相対主義のマニフェストとなるのである。

さて、トラシュマコス、カリクレスは以上を背景に、以下のように主張する。《ピュシスは普遍的であるが、ノモスは可変的・人為的・恣意的なものにすぎない。だとすれば、なぜそんなものにしたがう必要があろう。各個人が万物の尺度ならば、ノモスによる強制

は、自由への圧制というべきではないか？》

彼らは、ピュシスへの回帰を説く。万物の尺度が個々人に帰されたいま、唯一普遍的に妥当するのはピュシスの原理である。ならばピュシスこそ指針であり、我々はその原理にしたがうべきあろう。ソフィストたちによれば、ピュシスの原理とは以下のような普遍的事実である。《人間は畢竟、快を求め、苦を避ける動物にすぎない。道徳的善悪から麗しい衣をはぎ取れば、赤裸々な実相があらわれる。それが生理的快苦なのだ。各人の快が、各人の善なのである》。善悪が快苦に還元され、価値相対主義が自然化するとき、その帰結は社会ダーウィニズム以外ではあるまい。各人が各人の快を求め闘争するホッブズ的自然状態では、優勝劣敗と適者生存が社会の掟となる。よって、トラシュマコスは「法は正義ではなく、強者の利益である」と主張し、カリクレスは「法は正義ではなく、強者の利益の侵害である」と唱える。一見相反する両者のテーゼは、時間軸の導入により、同一の論理と判明しよう。既存の法は、古い強者の利益をあらわす。よってそれは、新しい強者

＊4　トラシュマコス、カリクレスによる以下の主張は、『国家』『ゴルギアス』における叙述の核心を筆者が要約したものである。また、カリクレスはソフィストではなく政治家であるが、ここではソフィストと同列に扱う。

の利益を侵害しているのである。ならば、ラスコーリニコフが夢想したように、新たな時代を創る英雄は法に縛られてはならない。彼は、法制定権力として法外の存在だからである。強者の前に法はなく、強者の後に法が続くならば、法の存在理由（raison d'être）は寿歌《ほぎうた》に求められよう。ただ事後的に、英雄を言祝ぐのである。

以上、ソフィストの主張を要約した。以下『国家』において、ソクラテスがトラシュマコスを論破する様を確認する。焦点は、なぜ議論においてソクラテスが無敵なのか、その構造的秘密を解明するところにある。

次の長い引用は、ソクラテスとトラシュマコスが実質的な対話をスタートさせる場面である。命題「法は強者の利益である」について、まずはトラシュマコス（「彼」）が持論を展開し、これを受けてソクラテス（「ぼく」）が、その吟味を宣言する。この出発点で、なにが生じているのか？

「まったく虫の好かぬ男だよ、あなたは、ソクラテス」と彼は言った、「できるだけひとの説をぶちこわすような仕方で解釈しようとする」

「いやいや、けっしてそんなつもりではない、すぐれた友よ」とぼくは言った、「ただ願わくば、君の言うことをもう少しはっきりと説明してくれたまえ」

「よろしい、それならたずねるが」と彼は言った、「もろもろの国家のなかには、僭主独裁制の政治が行なわれている国もあり、民主制の政治が行なわれている国もあり、貴族制の政治が行なわれている国もあるということを、あなたは知らないのかね？」

「むろん知っているとも」

「それぞれの国で権力をにぎっているのは、ほかならぬその支配者ではないか？」

「たしかに」

「しかるにその支配階級というものは、それぞれ自分の利益に合わせて法律を制定する。たとえば、民主制の場合ならば民衆中心の法律を制定し、僭主独裁制の場合ならば独裁僭主中心の法律を制定し、その他の政治形態の場合もこれと同様である。そしてそういうふうに法律を制定したうえで、この、自分たちの利益になることこそが被支配者たちにとって〈正しいこと〉なのだと宣言し、これを踏みはずした者を法律違反者、不正な犯罪人として懲罰する。

さあ、これでおわかりかね？　私の言うのはこのように、〈正しいこと〉とはすべての国において同一の事柄を意味している、すなわちそれは、現存する支配階級の利益になることにほかならない、ということなのだ。しかるに支配階級とは、権力のある強い者のことだ。したがって、正しく推論するならば、強い者の利益になることとこそが、いずこにおいても同じように〈正しいこと〉なのだ、という結論になる」

「これで」とぼくは言った、「君の言葉の意味はわかった。つぎにわかろうと努めなければならないのは、それが真実かどうかということだ。（…）つまり、〈正しいこと〉が利益になることだという点は、このぼくも賛成するが、君はそれにつけ加えて、その利益というのは強い者の利益のことである、と主張している。この点が、ぼくにはわからない。だからしらべてみなければならない」

「しらべるがよい」と彼は言った。

（『国家』338D～339B　傍点原文）


一見したところ、トラシュマコスの見解は、現実社会の一側面を鋭くきり取っている。国家とその法体系を「支配階級の執行委員会」と捉えたマルクス主義と同じ批判的知性が、ここには見いだしうるのである。これに対しソクラテスは、特に意味あることを述べているわけではない。ただ、トラシュマコスの主張をくり返し、これからその真偽を確かめようと宣言したにすぎない。しかし実際には、両者の対話がスタートしたこの時点で、すでにソクラテスの勝利が定められたように思われる。トラシュマコスはなにも気づいてはいない。自信にあふれ「しらべるがよい」と言う。だが、早くも回転がはじまってはいないか。議論の土俵が、トラシュマコスのそれからソクラテスのそれへと、すなわち現実社会の一側面から、理念の領域へと回りはじめてはいないか。以下、具体的に検討する。

トラシュマコスはいう。「強い者の利益が、〈正しいこと〉である」。ソクラテスは確認する。「君の言葉の意味はわかった。〈正しいこと〉は、強い者の利益だということだね」。この主述の逆転を看過すべきではない。というのも、トラシュマコスにおける述語としての〈正しいこと〉は、〈正しいことそのもの〉ではなく、法によって〈正しいとされていること〉であり、現実の一側面をあらわしている。これに対し、〈正しいこと〉が主語の位置におかれるとき、命題はにわかに理念的色彩を帯びはじめよう。ソクラテスが、「〈正しいこと〉は、強者の利益である」という命題を吟味するとき、焦点となるのは、「〈正しいこと〉とはなにか？」という理念的な問いにほかならない。ソクラテスはつねに、議論を現実から理念へと移動させるのである。

実際、トラシュマコスは、自身の立場を現実から遊離させていく。ソクラテスの問いに答えるなかで、彼は次の2つの命題を承認する。①被支配者にとって、支配者の定めた法にしたがうことが〈正しいこと〉である。②支配者もときには誤りをおかし、自己の不利益となる法を制定することもある。トラシュマコスの承認を確認したソクラテスは、彼に自己矛盾を指摘する。命題①②の帰結は、「支配者の利益が〈正しいこと〉であるのみならず、支配者の不利益もまた〈正しいこと〉になる」（339D）からである。ソクラテスの言うとおり、形式論理上、トラシュマコスの命題「支配者の利益が〈正しいこと〉である」は破綻する。しかしすぐ分かるように、それは形式論理上の破綻にすぎない。かつ、彼の命題は、形式上の自己矛盾が致命傷となる論理命題ではない。その主張の生き死には、現実社会を総体で捉えた際に説得力をもつか否かにかかっている。ブルジョワ階級が自己の利益とは異なる法を制定する場合も、つまり形式上自己矛盾を犯す場合も、現実においては十分にありえよう。しかし、資本主義社会を総体として捉えた場合、その法体系はブルジョワジーの利益を表現するものではないか。マルキストとともに、トラシュマコスはこう返答すべきだったのである。

しかし、議論は別様に進んでいく。指摘された自己矛盾を避けるため、トラシュマコスは「最も厳密な意味における支配者」（341B）、「支配者たるかぎりにおいては誤ることがない」支配者（341A）、つまりidealな支配者を掲げ、対話を進めていくのである。これにより、現実から理念への移行は完了し、ソクラテスの勝利が確定する。

以下、簡単に議論の収束を確認しよう。土俵が理念の領域に移行した以上、idealな支配者はどういう存在かが吟味される。ソクラテスは尋ねる。「厳密な意味での医者」は、金もうけが仕事か、病人の治療が仕事か。むろん、後者だとトラシュマコスは答える。ならば、idealな医者の技術は、自らの利益（金もうけ）のために存在するのではなく、対象者（病人）の利益に奉仕するものではないか。同じくideal な船長は、単なる船乗りではなく、船の支配者であり、その技術は船の利益のために存在するのではないか。こうした問いかけに首肯するトラシュマコスは、ソクラテスの結論もまた受けいれざるをえない。「技術とは、それがはたらきかける対象を支配し、優越した力をもつものだ（…）いやしくも支配者であるかぎりは、けっして自分のための利益を考えることも命じることもなく、支配される側のもの、自分の仕事がはたらきかける対象であるものの利益になる事柄をこそ、考察し命令するのだ」（342C-E）。

以上、トラシュマコスは見事に論破された。その見事さは彼の愚かさを主要因とするが、しかし、ソクラテスを論破できなかったことの理由を、愚かさに帰してはならない。ソクラテスは無敵である。トラシュマコスが英明であったにせよ[*5]、論破の不可能は、論理構成上対話に先行して確定されている。ソクラテスは、対話者と同じ土俵には存在しないからである。彼の無敵とは、文字通り敵のいないい非在にほかならない。この点につき、ソクラテスの立ち位置を、トラシュマコス&カリクレスの根本命題と対比させて考察しよう。

ソフィストたちの主張とは、自然化された価値相対主義であり、社会ダーウィニズムで

＊5　実際、『ゴルギアス』に登場するカリクレスは、トラシュマコスほど愚かではない。

あった。「人間は快を求め、苦を避ける動物にすぎない。道徳的善悪とは生理的快苦であり、欲動こそが人間の動因である。優勝劣敗という自然の真理を見すえ、永遠の闘争状態を生きぬく強者たれ！」。ソクラテスの立場は、これと鋭く対立する。「生きることではなく、善く生きること」を唱え、人生の目的としての「幸福」を、「徳」すなわち魂の陶冶に見いだし、それは「知」において与えられるとするからである（知＝徳＝幸福）。

ゆえにソクラテスは、ソフィストたちにこう問うことができよう。「ソフィストたちよ、我々はいま、なにが正しい生き方であるか、現に対話（ダイアロゴス、logos の交換）してきたではないか？　どちらが説得力のある、理に適った（logos に適した）生き方であるか、吟味してきたではないか？」。ソフィストたちが、なにかしらの「価値」（徳、勇気、正義など）をめぐってソクラテスと対話する限り、ソクラテスの言い分は事実判断として正しい。対話者は logos を分有し、logos によって対話しているのである。ここから、ソクラテスの根本命題が導出される。ソクラテスが発するあらゆる主張は、次の命題へと収斂しよう。「《logos に導かれるのが善である》（命題P）については、対話者は全員一致する（命題Q）」。

この2つの命題はともに、ソフィストが発する諸命題とは位相を異にする。ソフィストは、徳や勇気や正義についてさまざまに語るだろう。彼らは、あるドクサ（doxa、見解 ex.「法は正義である」）に対し、別のドクサ（「法は強者の利益である」）を対抗させ、説得を試みる。つまり同じ土俵上、オブジェクトレベルで闘うのである。これに対し、ソクラテスの根本命題はメタレベルに位置する。彼はただ、「ドクサは不確かだから吟味すべき」と語り（命題P）、「一緒にやろうね」（命題Q）と誘うのである。確かに疑おうと思えば、命題P自体が、ある共同体においてすり込まれた共同のドクサ（endoxa）にすぎぬといいうるかもしれない。だが、命題P《logosに導かれるのが善である》に反対する理由（logos）は、論理的に（logosに適いつつ）はありえない。反対は、logosの自己矛盾である。よってソフィストたちも、彼らが対話者である限り全員、命題Pを承認しなければならない（＝命題Qの立証）。ならばソクラテスは、愚かならざるトラシュマコスに対してもこう主張できるだろう。「ところで、君が承認した命題Pには、人間を動物的領域、生理的欲動から解き放ち、事実ではなく価値、現実ではなく理念を志向する契機が含まれている。したがって、〈優勝劣敗の自然〉ではなく、〈logosを探究する共同体〉が、人間の住処とならなければいけない」。こうしてトラシュマコスは、自身の愚かさとは無関係に敗れ去るのである。

以上、ソクラテスの無敵について考察した。対話が、その名の通りlogosの交換である限り、ソクラテスの根本命題が揺らぐことはない。ゆえに彼は、しばしば対話者が真剣に偽りなく自身の考えを述べていることを確認し[*6]、logosの地平を確保するのである。この地平にある限り、彼は無敵である。というのも、ソクラテスが提示するオブジェクトレベルでの倫理命題（ex.「法は弱者の利益である」）がだれかに反駁されたとしても、それは彼の敗北ではなく、メタ次元での勝利だからである。ソクラテスはいう。

ところで、そういうわたしとは、どんな人間であるかといえば、もしわたしの言っていることに何か間違いでもあれば、こころよく反駁を受けるし、他方また、ひとの言っていることに何か本当でない点があれば、よろこんで反駁するような、とはいっても、反駁を受けることが、反駁することに比べて、少しも不愉快にはならないような、そういう人間なのです。なぜなら、反駁を受けることのほうが、より大きな善であるとわたしは考えているからです。

（『ゴルギアス』458A）

自己の提示した倫理命題が反駁される、これは自己の狭さが明かされ、命題がより真なるものへと更新されることを意味しよう。ソクラテスの根本命題（命題P）とは、知性のこうした歩みの肯定にほかならない。よって、本稿のこれまでの表現には、一部修正の要がある。ソクラテスとソフィストの論争において、「勝利」「敗北」という語を用いることは、ソフィストの観点に与するに等しいからである。ソフィストは知の所有者、知の闘技者を自認する。彼らに対し、「財」と「勝敗」はふさわしい言葉であるが、ソクラテスの場合、対話とはlogosに導かれた知性の自己更新以外ではない。命題はだれかの所有物ではなく、論争はだれかが勝利するものでもない。そこでは、propertyもproper name（固有名）も意味をなさないのである。ソクラテスはカリクレスに、ソクラテスの抹消を打ち明けている。「ねえ君、ここだけの話だけれども、君がいまぼくから聞いていることは、実は哲学〔philosophia＝知への愛〕が話しているのだからね」（『ゴルギアス』482A）。対話篇においてソクラテスが示したのは、知とpropertyとの対照性、知の公共性だったのではなかろうか。知は個人の属性ではない。人々の間を動く。彼が知の祖型をあらわすかぎり、「ソクラテス」という名前は、ダイアロゴスという場所、知への愛という運動を表しているのである。*7

＊6　ソクラテスは、対話の場が真正なlogosの交換であることにこだわらざるをえない。対話が、その名に値するダイアロゴスから外れるとき、そのときにのみ、ソクラテスの根本命題が揺らぐからである。「友情の神ゼウスの名にかけて、カルリクレスよ、どうか、君自身としても、ぼくに対して冗談半分の態度をとるべきではないと考えてくれたまえ。また、その場その場の思いつきを、心にもないのに、答えるようなこともしないでくれ。さらにまた、ぼくの側から話すことも、これを冗談のつもりで受取ってもらっては困るのだ」（『ゴルギアス』500B-C）。ソクラテスによる同様の言及は、『国家』346A,349A『ゴルギアス』495Aなどにも見られる。

さて、これまでの考察から、知性は反駁を歓迎すること、それは永続的な吟味の連鎖によって真知（epistēmē）を目指す運動であることが確認された。よって、次のキーワードが知性の指標となる。《運動・更新・間・非property》。では、反知性とはなにか？　キーワードを逆転させれば《惰性態・完了形・閉域・property》という語群が浮かびあがってこよう。以下、サルトルが描く反ユダヤ主義者を例に、反知性について考察する。

3　反知性の典型：反ユダヤ主義者

では『ユダヤ人問題についての考察（1946年）』（以下『ユダヤ人』[*8]）を吟味する。

今、だれか一人の男が自分の不幸の全部、あるいは一部を、共同体におけるユダヤ分子の存在に帰したとする。あるいは更に、その不幸な状態を改善するには、ユダヤ人達から、かくかくの権利を取り上げるとか、かくかくの経済的・社会的地位から遠ざけるとか、領土から追放するとか、あるいはみな殺しにすべきだとか提案したとする。すると人々は、この男が反ユダヤ的意見（opinions）の持ち主だというであろう。

（p.7、1頁 傍点原文）

こう書きだされたサルトルの『ユダヤ人』は、反ユダヤ主義がひとつの「意見」でありうるのかと問う。人はチェロの響きについて、ピカソの青について、ワインの重みについて、さまざまな「意見」をもつ。趣味好悪は人それぞれであり、したがってどんな「意見」をもとうが許される。すべての「意見」は同じ価値を有するのである。「かくして、民主主義的機構の名において、また言論の自由（liberté d'opinion）の名において、反ユダヤ主義者は、反ユダヤ十字軍の必要性を、いたる所で説きまわることを当然の権利と心得る」（p.8、2頁）。

サルトルの存在論は、あらゆる価値を主体による選択に帰し、価値相対主義を徹底させるものであった。主体による無根拠な決断以外には、価値尺度の根拠などありえないのな

＊7 よく知られているように、『パイドロス』においてソクラテスは、「対話の言葉」を称賛し「書物の言葉」を批判した。前者が生きた運動であるのに対し、固定化された後者は、著者の property と化してしまうからである。

＊8 なお、本書からの引用については、本文中に参照頁を記すこととする。また、ショアーに関する記述が欠如している点等、サルトルの『ユダヤ人』についての全般的評価は、Galster（2005）を参照。

らば、価値判断とは、畢竟趣味判断に、つまりは美意識にすぎないのではないか。[*9] 神の死以降、真・善・美はその伝統的ポジションを喪失し、「世界は美的現象としてのみ是認される」とニーチェはいう。ならば、反ユダヤ主義もまた主体の選択として、1つの美意識として、そのほかさまざまな「意見＝趣味判断」と同じ価値を有するのであろうか。

否。サルトルの答えは否である。「直ちに特定の個人を対象とし、その権利を剥奪したり、その生存を脅かしたりしかねない一主義を、意見などと呼ぶことは、私にはできない。(…)反ユダヤ主義は、言論の自由という権利によって保障されるべき思想の範疇には入らないのである」(p.10、4頁)。ここでサルトルは明らかに、なにかしら普遍的価値の存在を前提に議論している。しかし、その詳細については別の機会に譲り、[*10] ここでは議論を進めよう。

サルトルは、反ユダヤ主義を「意見」として認めることを退けた。反ユダヤ主義は、「人類全体に対して、歴史と社会に対して、その人のとる1つの綜合的な態度であり、それは同時に情熱でも世界観でもある」(p.18-9、14頁)と、サルトルは規定する。反ユダヤ主義者は、経験や歴史的与件から出発して、論理的思考(logos)の結果、反ユダヤ主義を導きだしたのではない。知性の理路とは逆に、彼らはまず「ユダヤ人という観念」から出発し、それにもとづいて、経験や歴史的与件を意味づけているのである。サルトルは書いている。

第一、それは、思想とは全然別物である。むしろ、情熱である。たしかに、それは、論理的な形をとってあらわれることもできる。「穏健」な反ユダヤ主義者とは、落着き払った調子でこんなことを言える物腰の柔らかい男でもあろう。

「わたしは、なにも、ユダヤ人を毛嫌いしているわけではありません。ただ、かくかくの理由により、国家活動における彼らの領域が、制限された方がいいと思うだけなのです。」しかし、彼はそのすぐあとで、こちらが信用できそうだと思えば、さらに打ち解けた調子でつけ加えるだろう。

「おわかりでしょう。ユダヤ人には、『なにかが』ありますよ。だから、わたしには生理的に堪えられないのです。」

＊9 サルトルの決断主義や価値相対主義に対しては、しばしばアングロサクソン系の論者から批判がなされた。Bernstein,R.（1971)、Taylor,C.（1985）などを参照。

＊10 これについては、拙稿（堀田2008）を参照。我々は、『ユダヤ人』と『倫理学ノート』（執筆1947～8年）を関係させて、サルトルにおける普遍的価値の問題を考察した。

こうした理屈を聞くのは一度や二度ではないのだから、よく検討してみる必要があるだろう。先ず、これは、感情的な論理から出発している。なぜかといえば、まさか、「トマトのなかには、きっと『なにかが』あるんですよ。だから、わたしは、あれを食べるのが大嫌いだ」などと、真面目に言う人があるとは、とても考えられないではないか。

(p.10-11、5頁 傍点原文)

ある若い女は、私に言った。「わたくし、ある毛皮屋にひどい目にあわされましたのよ、預けておいた毛皮に焼きこがしをこしらえられて。ところがどう、そのお店の人はみんなユダヤ人だったんですの。」

しかしなぜこの女は、毛皮屋を憎まないで、ユダヤ人を憎みたがるのだろう。なぜ、そのユダヤ人、その毛皮屋を憎まないで、ユダヤ人を憎みたがるのだろう。それは彼女が、反ユダヤ主義の傾向を、それ以前から具えていたからである。

(p.12-13、7頁 傍点原文)

これらの例から分かるように、サルトルによれば、反ユダヤ主義者たちが嫌悪の対象としているのは「邪悪なるユダヤ人」であり、固定化されカタマリとなった観念である。同様の諸例をあげた後、サルトルはこう結論づける。「経験がユダヤ人という観念を生むというのは、とんでもない話で、逆に、その観念が経験に色をつけるのである」(p.14、9頁)。これは、「若い女」の例から明らかであろう。女の憎しみは、具体的な行為や行為者から離れ、「邪悪なるユダヤ人」へと向かう。固定観念が、経験の意味を決定づけるのである。

とはいえ、あらゆる観念のはじまりに経験が存在することは確かであり、この点、トマトの例に即してサルトルの議論を補っておこう。次のようなことは考えられないか。子どもの頃、トマトを食べて吐きだした。青虫がいたからである。それ以来私はトマトを食べることができない。「トマトのなかには、きっと『なにかが』ある」。こうしたトラウマの存在もまたありうるのではないか。その場合「私」は、トマトのなかにおぞましさのカタマリをつくりだすのである。具体的青虫から出発した「おぞましさ」の観念が、具体を離れ、いわくいい難い「もの」としてトマトに内在しはじめる。「邪悪なるユダヤ人」という観念もまた、これと同種のカタマリだとサルトルは論じるであろう。虫がついたトマトを吐きだすことは、理にかなっている。だが、おぞましさがトマトに内在していくとき、以後の経験は観念によって規定され、あらゆるトマトが邪悪に赤く染まって見えよう。反トマト主義者の誕生である。

では、反ユダヤ主義者の場合、いかなる理由から「邪悪なるユダヤ人」という観念に固執しているのか。サルトルは、「もしユダヤ人が存在しなければ、反ユダヤ主義は、ユダヤ人を作りださずにはおかないだろう」といい切る（p.14、9頁）。彼らはなぜ、カタマリとしての観念を必要とするのか。「人間には、不浸透性（imperméabilité）に対する郷愁が見られる」（p.20、16頁）からだと、サルトルはいう。ここには、主著『存在と無』（１９４３年）のなかで執拗に追究された、自己欺瞞（mauvaise foi）の問題系があらわれている。自己欺瞞とは、意識としての対自存在（l'être pour soi）が、自らを、モノとしての即自存在（l'être en soi）であるかのように捉えることである。簡単に説明すれば、以下のようになろう。「現実存在」（existence）するものは、なんの意味もなく、ただ純粋偶然として、余計もの（de trop）としてのみ現実存在する（ex.「不条理にも、私がある」）。ただし、モノとしての即自存在が、余計ものであることにも自己充足するのに対し、意味づける意識としての対自存在は、無意味であること、純粋偶然であることには耐えられない。ゆえに、自己をなんらか本質規定して固め、そこに充足せんとする誘惑が、対自存在にはつねにつきまとうこととなる。灰皿は、灰皿に充足し、自己を疑うすべを知らない。よってそれは、現実存在の偶然性を逃れ、「灰皿である」という確たる意味・役割を具現化した「存在」（être）のように見えてくる。これが即自存在（モノ）のもつ「不浸透性」であろう。意識としての対自は、ここに惹かれ、意識以前への郷愁を抱くのである。したがってたとえば、「社長」「議員」など、自分の地位や役割を自らの本質として固定し、そこに安住しようと試みる。「私は、社長であるから価値がある」「私は議員であるから偉い」——自らを対自的に顧みることなく、地位や役割に充足すること、これにより、現実存在の偶然性を逃れようとすること、こうした防衛機制が、自己欺瞞にほかならない。換言すれば、「〜がある」という偶然性ないし不条理を、「〜である」という意味により隠蔽する詐術、これが自己欺瞞なのである。反ユダヤ主義の根底に、「不浸透性に対する郷愁」を認めたサルトルは、これと同じ心理的メカニズムを看取したといえよう。

実際サルトルは、反ユダヤ主義者を、「石のような不変性に惹かれる人々」と見なしている。彼らは、自己の最終規定が不可能であり、「自らの現実存在が、つねに執行猶予の状態におかれ」ざるをえないという「真理」から目を背ける、臆病者にすぎない。反ユダヤ主義者は、「一気に、しかも今すぐ、完全に現実存在しようとする」情熱の虜なのである（p.21、16〜17頁）。かくして反ユダヤ主義者は、ユダヤ人に「ユダヤ根性」なる永遠の本質（essence）をカタマリとして投影する。というのも、それによって自らが、「真正なるフランス人」という神秘的本質を、カタマリとして受肉することが可能となるからである。サルトルは、反ユダヤ主義のうちに、「真正なるフランス人」という生得的かつ排他的観念以外に拠り所をもたない、集団的凡庸性を認めている。

反ユダヤ主義者が、自分は個人的にユダヤ人より優れていると主張した例は聞かない。しかし、このとるに足らないということを、彼が恥じていると思ってはならない。それどころか、それが大いに気に入っているのである。いや、そうなることを選んだといえよう。彼はあらゆる種類の孤独を嫌う。天才の孤独も、暗殺者の孤独もともに恐れる。彼は、群衆のなかの一人なのである。(…)『私はユダヤ人が嫌いだ』という言葉は、集団を作っていわれる言葉である。(…)そこには、凡庸人の情熱的な傲慢がある。(…)たとえば反ユダヤ主義者にとって、知性はユダヤ的なものである。したがって、安心してそれを軽蔑することができる。(…)

自分の土地に、自分の故国に根を下ろし、二千年の伝統に支えられ、祖先伝来の叡智を受け、試練を経た慣習に導かれる真正な〈フランス人〉には、知性など必要がない。彼の美徳を根拠づけているのは、自分の周りにある事物の上に、幾代もの労働によって築かれた長所、すなわち財(propriété)と一体化することなのである。その財産も、いうまでもなく相続された所有物で、買われたものであってはならない。金銭とか、債権などの近代的所有の種々形態は、反ユダヤ主義者には原則的に不可解なのである。それらは抽象であり、理性の産物であって、ユダヤ人の抽象的知性と結びついたものである。

（p.25-27、21〜22頁 傍点原文、傍線引用者）

ここには、前節で確認した知性とpropertyの対照性が、サルトルによって裏側から確認されている。反ユダヤ主義者は、知性の陰画にほかならない。

先祖伝来の財を相続すること、これはただ自己の「存在」（être）、すなわち「由緒ある〜家の〜である」というだけでことはすまされる。2000年来の伝統を考慮するならば、土地を担保に金融市場に参入するリスクなど冒すべきではない。なにもしない惰性態が、むしろ望ましいのである。金融商品はすべて、いや貨幣からしてすでにフィクショナルな制度であり、土地から遊離している。それらは高利貸しのユダヤ人、自らの土地をもたず、なにも生産せず、ただ錬金術にたけたユダヤ人にこそふさわしい。真正なフランス人には、2000年来の土地がもたらす財がある。それは勝ちとるものではなく、所与としてそこに存在するのだ。これが、反ユダヤ主義者の心性であるとすれば、彼らの時間は2000年間停止している。むろん、停止しているのは彼らの内的な時間であり、現実の時間は進行し、時々刻々新しい事態が出来する。彼らの内的な努力にもかかわらず、その閉じられた時空は脅かされ続けるのである。

あるいは、ことの真相は逆だというべきだろうか。つねに脅かされているからこそ、彼らは時間超越的な伝統を、遡行的に構成したのかもしれない。いずれにせよ、脅威は外部に投影されカタマリ化される。我々の伝統、我々の土地をユダヤ人が狙っている。ディアスポラの連中は策を弄し、邪悪な知性で土地に寄生するのだ。この世界に与えられた、我々の場所が脅かされている。これが、サルトルの描く反ユダヤ主義者の内面ではなかろうか。

　サルトルはまた、反ユダヤ主義のうちに、排外的ナショナリズムによく見られる魔術的本質主義を感知し、それを次のように批判する。

> 　反ユダヤ主義の原則とは、ある特異な事物の具体的な所有が、魔術的に、その事物に意味を与えるということにある。モラスは断言した。ユダヤ人は、次のラシーヌの詩を理解することは決してないだろうと。『荒れ果てしオリエントに、わが憂い、いかにやつのる』。だが、なぜ凡庸な自分が、最も鋭い知性さえ掴むことのできないものを、理解することができるのであろうか。それは、自分がラシーヌを所有しているからである。ラシーヌと、自分の言葉と、自分の土地を所有しているからである。ユダヤ人は自分より純粋なフランス語を喋るかもしれない。文体も文法も自分より優れ

ているかもしれない。作家ですらあるかもしれない。しかし、そんなことは問題ではない。その言葉を、ユダヤ人は、やっと20年来話しているにすぎない。自分のほうは、千年も前から喋っている。彼の文体の正確さは、抽象的なもの、学び取られたものにすぎない。自分のほうは、たとえフランス語の誤りを犯しても、この言葉の精髄に与しているのだ。

（p.27-8、23～24頁　傍点原文、傍線引用者）

ここでもまた、反知性の特性が浮き彫りにされている。フランス語には精髄があり、それを血肉化した者すなわち真正なフランス人にしか、国民詩人ラシーヌの精髄をつかむことはできない。こうした本質主義、排外主義の根底にはなにがあるのか。思うに、時間が流れること、すべてが移ろいゆくことに対する恐怖がある。我々はみな、大切なものを移ろわせたくはない。愛の対象であれ、自己自身であれ、時間を超越して「存在」させたいのである。ゆえに、「本質」（essentia）が必要となるのではないか。そのものの「様態」（modus）であれば、時にしたがい、場にあわせて変化しよう。だが、本質はそうではない。時間に侵されないことが、本質という概念の本質である。時間の超越を希求する人間の性が「本質」を思念し、それを「存在」と結合させるのではないか。

いずれ、時間を恐れるフランス人はラシーヌに本質があると考えはじめる。すると、ラシーヌもまたカタマリはじめる。超時間的な特性(property)がラシーヌに誕生し、私にとって所有可能な財（property）として、「大切なモノ」として扱われるのである。「よそ者」や「外人」は、これに触れてはならない。外部との接触は、モノの凝集力を損なう。他者に開かれることは、時間に開かれることだからである。[*11] ゆえに真正なフランス人は、時空の「閉域」を求めざるをえない。無菌室でラシーヌとフランス語の冷凍保存を試みるのである。しかしもちろん、ラシーヌもフランス語もモノではなく、また時間を凍結する装置はない。現実世界での物理的不可能性、これは必然的に魔術的解決を招くこととなる。本質主義はすべからく魔術を必要とするのである。

だが、そもそも「真正なフランス人」は、サルトルの定義からすれば、なんらの「価値」でもありはしない。「生得的価値」とは、すでに形容矛盾である。先にふれたように「価値」は、自己の責任において選びだされ、創りだされるものだからである。しかし、「反ユダヤ主義者は、この責任ということも、自己認識と同様に回避する。そして、自己というものに永遠の不変性を選んだごとく、自らのモラルにも石のような価値尺度を選んでしまうこととなるのである」（p.31、27頁）。

かくしてサルトルは、反ユダヤ主義を、「人間の条件を前にした恐怖」（p.64、62頁）と規定する。神なき時代、すなわち善悪・正邪を計る尺度がもはや所与ではありえなくなった時代、人間の条件とは、自らの選択において価値を選ぶこと、その責任に耐えることである。まさしく「人間は、自由であるべく呪われている」[*12]のだといえよう。だが、反ユダヤ主義者は、「ただ上官にしたがう戦争中の兵士のような、完全な責任回避を選ぶ。しかも、彼には上官などいない。彼が選ぶのはまた、なにも得ようとせず、なに物にも値しようとせず、しかも、なにからなにまで生まれつき、自分に与えられているという境遇である。(…)彼は、善がすでにできあがっており、疑問視されることなく、傷つけられることのない立場」〔《完了形!》〕に安心立命を求めているのである(p.63、61頁 傍線および〔 〕内引用者)。

以上、本節ではサルトルが描く反ユダヤ主義者を確認した。その特性は《惰性態・完了形・閉域・property》であり、前節で確認した知性の特性《運動・更新・間・非property》の真逆となる。反ユダヤ主義こそ、反知性の典型ではなかろうか。知識・財・権力・名誉等々を「自分のモノ」にすること、これは、生きるうえで生じた1つの存在的事象にすぎない。人の生きる存在論的条件を変えうるものではない。にもかかわらず、そ

*11 「時間」と「他者性」が相即である点については、第2章「撤退学宣言」註17を参照。

*12 EN, p.612(Ⅲ 273頁)

れらの所有が人間の条件を超えて、所有者に「本質＝存在」をもたらすと思念するとき、魔術が働きはじめるのである。反知性とは、「property の魔術的な肯定」にほかならない。*[13]

property の語源は、pro（〜のために）＋ privus（自分の）であり、「自分のためのものごと」がこの語の幹となる。つまりは、明確に境界を描きその内部を占有すること、私の閉域・排他性が property の核心といえよう。ゆえに、時間と他者に開かれた人間、つねなる不安を生きる人間が、property を頼みに不安の克服を図るのも必然ではないか。脱魔術化された近代において、しかし再魔術化への欲望は蠢きつづけるのである。

さて本稿では、これまでソクラテスとサルトルに依拠しつつ、知性・反知性と property の関係について論じてきた。次節以降、考察の方向をターンさせ、ソクラテスとサルトルへの批判から新たな問題提起へと進んでいきたい。

4　問題提起：知性は自らを維持したまま、property の不条理な肯定が可能か？

知性の核心には logos があるとして、しかし logos は個々の実存者の単独性を消しさらないか。実存とは、意味や理（logos）に回収しえない不条理（absurd）である。たとえば、今この原稿を書いている「この私」は、「男」であり、「大学教員」であり、「奈良市民」である。だが、こうした意味規定「〜である」を無限に連ねたところで、「この私」はそこからはみ出る「余計もの」（de trop）であるほかはない。「奈良県立大学政治学担当教員」は、この世界で私ひとりだが、私が明日死ねば、来年のいま頃は別人が代わっていよう。「ただ1人」の個体を指示する意味規定も、それが意味である限り、「この私」の実存を捉えてはいない。唯一、固有名 proper name だけが、「この私」をマルゴトつか

＊13　魔術とは、超自然的な力によって、自らの意思を現実化するわざと規定できよう。よって魔術を考察する際には、「現実とはなにか」「なにがリアリティを構成し、意味づけているか」、これが焦点となる。人は、物理的・生理的次元以上に、意味の次元を生きるのである。魔術が有効であるか否かは、ひとえにその世界におけるリアリティの構成いかんによるといえよう。魔術的世界において、魔術は効力を発揮する。たとえば平安貴族社会では、加持・修法により、災いが事実として消えるのである。というのも、災い自体、事実自体が、魔術的に構成されているから。
いつの時代でも、「人間の生の条件＝不安」を解消したい者は、魔術にたよりがちである。呪術的共同体を構成し、日々占いや呪いによって出来事を意味づけ、リアリティの魔術化に余念がない。これは、近現代でも同様であろう。脱魔術化された現代世界に蔓延する、陰謀論者たちの共同体を想起せよ。

まえているのではないか。[*14]「この私」は、「ホッタシンゴロウ」である。よって、実存の肯定とは固有名に対する理屈（logos）抜きの、不条理な肯定とならざるをえない。

スコラ哲学に「不可識別者相同の原理」という考えがある。識別できないものは相等しい。そしてそれは存在しない。逆にいえば、存在するものはすべて個別化され、単独者としてのみ存在する（個体化の原理）。「この私」は否応なしに排他的に、「この私」という閉域に固められたマルゴトとして、すなわちproperty（＝自分のためのものごと）として存在せざるをえないのである。

しかし、これまで確認した限りでは、ソクラテスとサルトルの論理は固有名の解消、propertyの開放を明かしている。[*15] ならば、それも1つの暴力とはならないか。まずソクラテスの場合、logosが提示するidealなポリスにおいて、各人は、それぞれ専門の仕事をもつidealな技術者として存在する。そこにハミダシモノやマヌケが生息する余地はありそうもない。いずれ除去されるノイズとして、理想への途上でのみ、マヌケの存在が許されるのであれば、こうした論理は実存への暴力となろう。[*16] 人はすべて、マヌケに実存するからである。[*17] いわゆるlogos中心主義批判に対し、知性はいかに返答すべきなのだろうか。

ついでサルトルについて。周知のように、サルトルの『ユダヤ人』は、彼の意図とは裏腹に、ユダヤ系の論者から多くの批判を浴びてきた。ユダヤ共同体にポジティヴな紐帯を認めず、「ユダヤ人とは、他の人々がユダヤ人と考えている人間である。(…)反ユダヤ主義者が、ユダヤ人を作るのだ」(p.83-4、82頁 傍点原文)と規定する論理は、「ユダヤ」にとってのproperな歴史とproperな苦しみを蔑ろにする暴力と受けとめられたのである〔アーレント(1972: ix) Walzer(1995)〕。この暴力を回避するためには、知性は「ユダヤ」というproper nameを肯定しなければならないが、それは同時に、「約束の地」をユダヤ人のpropertyとして、パレスチナに認めることにつながりはしないだろうか。そしてそれは、許されるのか。

＊14　ゆえにデリダが強調するように、固有名とは原暴力といえよう。しかし、その不条理な原暴力なしに、実存者は存在の全体からレリーフされ、境界を描かれ、実存しうるであろうか。

＊15　もちろん、ソクラテスやサルトルの思想全体のなかで、「固有名への不条理な肯定」が見いだせるか否かは、別途検討すべき課題である。ここでの議論は、本稿で考察した範囲内に限定される。

＊16　ここで詳述する余裕はないが、少なくともプラトンの『国家』で描かれた理想のポリスでは、ハミダシモノやマヌケが生息可能な環境は、限りなくせばめられている。

＊17　これについては、「撤退学宣言」の第2章を参照。

以上、ソクラテスとサルトルのlogosに対して、それが固有名の抹消をともなう点を批判することはたやすい。だが他方で、実存・固有名の不条理な肯定とは、どのような出来事であるのか。それは、propertyの魔術的な肯定、つまりは反知性に陥ることではないのか。こうした問いや懸念を吟味するため、ここでは「愛」を考察の対象とする。実存に対する不条理な肯定、理のすべてを超越した肯定とは、通常、「愛」と呼ばれる事象だからである。ということで、文学史上、その最も有名な例をとりあげよう。登場するのは、甘いメロディーのなか、夜のバルコニーに立つジュリエットである。

「ああ、ロミオ、ロミオ、どうしてあなたはロミオなの?」ジュリエットよ、まず、落ち着け。君の言葉は、なにも意味してはいない。ロミオ＝ロミオという無意味な同語反復だけではないか！　だれもが知るこの有名なセリフに、だれもがこんなツッコミを入れたことはないか。しかし、であればなぜ、この無意味なセリフが、これほど有名なのか？　なぜ、人の心をつかんで、語られつづけているのか？　思うにそれは、「ロミオの無限の肯定」という、意味の手前の意味を訴えかけてくるからである。[*18]ジュリエットの言葉は、キャピュレット家（教皇派 Guelphs）とモンタギュー家（皇帝派 Ghibellines）の恩讐を超え、意味世界を脱落させて、ロミオが現実存在することに驚き、詠嘆するものだといえよう。確かに、ロミオがある。[19]「有り難い」ものが「有る」のである。[20]

アーレントは、アウグスティヌスにおける愛を考察し、つぎのように結論づけている。「私

＊18　レヴィナスは「コンテクストなく意味することの可能性」つまりは固有名の可能性を捉えていた。そしてその際には、「全体性を踏み越えた存在が、無限なものと関係する」という（レヴィナス 2005:19）。普通、意味とコンテクストは切りはなしえない。文脈においてのみ意味が規定され、交換され、文脈の集積として「意味の網の目としての世界」があらわれる（『撤退学宣言』の第2章を参照）。したがって、レヴィナスが「コンテクストなく意味する」という場合の「意味」とは、意味の手前の意味、「前‐意味」というべきかもしれない。固有名とはそれであろう。

＊19　いまは昔、「誰よりも君を愛す」という昭和ムード歌謡の名曲があった（1960年第2回日本レコード大賞受賞）。その歌詞に、次の一節がある。

「あなたがなければ　生きてはゆけない　あなたがあるから　明日が生きられる」

ここで作詞家は、「いない」「いる」ではなく、「ない」「ある」を用いている。詩人は、「あなたがある」ことの不条理、「このあなた」が現実存在する奇跡を表現したのである。

＊20　ただし以上の解釈は、シェイクスピアのターミノロジーを超えて、シェイクスピアの主張を先鋭化させたものである。シェイクスピア自身は、「名前」を意味世界に内属させ、よって「名前」の脱落において実存の肯定がなされると見なしている。戯曲の文脈でジュリエットは、「ロミオ＝モンタギュー家の名前」をすて、

は愛する、すなわち、あなたが存在するように意志する（Amo:Volo ut sis）と言うこと以上に大きな肯定は存在しない」（アーレント 1994: 下 127）。私があなたを愛するとき、それは無条件である。あなたがなにかをしてくれるから、その対価として愛するわけではない。あなたが、なにか（what）――ex. 職・地位・出自・性格等 etc.――であるから、それを理由として愛するわけでもない。あなたは、だれ（who）なのか。あなたはあなたである。この不条理な同語反復において、ただその存在マルゴトを欲すること、あるいは、そのマルゴトがあることを欲すること――これが愛ではなかろうか。

この世界は、意味の網の目として織りこまれた関係性の世界、相対的な世界である。よって、愛が不条理な肯定、意味世界を脱落させた肯定である以上、それは相対ではなく、絶対の肯定であり、意味世界のかなたにある奇跡というほかはない。日常茶飯ではあれ、愛はそのたびごとに1つの奇跡である。であれば、知性と愛の関係をどう捉えたらよいのか。「愛は盲目」といわれるように、「愛」とは「反知性」の別名なのか。[*21]「愛」も「反知性」も、property に対する「logos ならざる肯定」である。そうであれば、「愛＝有り難き奇跡」と「反知性＝有り勝ちな魔術」を区別するには、どうすればよいのか。その方法は、あるのだろうか。

以上、本節の問題提起は次のようにまとめられる。

【問題提起】

①知性は自らを維持したまま、property の不条理な肯定が可能か？（property の合理的肯定は近代市民社会の要件である）

知性が実存を肯定するとき、それは logos を超えた不条理な肯定とならざるをえない。そのとき知性は、反知性に陥りはしないか？

②知性と logos の境とは？　知性であり、かつ logos の外部とは？

③「有り難き奇跡」と「有り勝ちな魔術」は、どうやって区別すべきか？

＊21　「ジュリエット＝キャピュレット家の名前」をすてれば、すなわち、駆け落ちすれば、愛が成就するという「条理」を語っている。この文脈からすれば、ジュリエットのセリフは、「ロミオ、ロミオ、どうしてあなたは、モンタギュー家のロミオなの？」と変換されてもかまわないこととなろう。そうすれば、ジュリエットの言葉にも意味がやどり、観客からのツッコミにさらされることもない。だが同時に、セリフの魅力も永遠に失われよう。「ああ、ロミオ、ロミオ、どうしてあなたはロミオなの？」この落ち着きのなさ、「条理」のかなたこそ、ジュリエットを永遠のヒロインにする。

ただし、「愛は盲目」という言葉に依拠して「愛＝反知性」と短絡すれば、これは、知性を視覚に代表させたうえで、視覚の欠如を愛と同定する議論であり、愛からも知性からも、その視覚中心主義を批判されよう。

5　回答：決断主義を超えて　完全性の反復

思うに問題は、意味世界が脱落した場での条理を超えた肯定が、翻って意味世界のなかで、どのような帰結をもたらすかにある。意味世界、我々が生きるこの日常世界は、さまざまな価値がせめぎあい、妥協が必要な相対的世界である。教皇派にも皇帝派にもそれぞれの歴史と正義があり、諸々の感情がつみ重ねられてきた。この来歴の重みが、キャピュレット家とモンタギュー家を縛りつづける。だが、ジュリエットにおいて、これらすべては脱げおちた。ロミオに対する無限の肯定が、重力場を消しさったのである。ジュリエットはなぜ、家をすて、縁のすべてをすて、「ロミオとともに」を決断するのか？　もちろん、「理由」はない。人に説明できる「意味」、納得させる「根拠」などない。ただ、ロミオへと落下したのである。しかし、それが同時に、ジュリエットの主体的決断であり、彼女はそれについて全責任を負わなければならない。これが、「決断」という出来事ではなかろうか。デリダがキルケゴールを援用して語るように、「決断の瞬間は狂気」であり、「言語によっても、理性によっても捉えることはできない」（デリダ 2004: 136-7）。決断とは、合理的な選択でもなければ、主体的な選択ですらなかろう。それは、否応なしの落下なのである。

思うに問題は、この無根拠の決断が、日常世界になにをもたらすかである。相対的世界を超えた場での無限の肯定は、相対的世界での絶対的な行動原理を導くことにはならないか。だがそれこそが、政治的決断主義の危険ではなかろうか。以下、実存主義の1つの政治的表現として、決断主義を吟味する。実存主義から決断主義にいたる過程は、知性が反知性へと転化する好例と思われるからである。

では、実存主義とはなんであり、その政治的帰結が、どうして決断主義となるのか、これを簡単に説明しよう。[*22] 実存主義はまず、自己欺瞞への批判から始まる。先に見たように、「社長である私」「議員である私」等、人は、自分の地位や役割に安住し、他者に暴力をふるいがちである。自分の「存在＝本質」が「社長」や「議員」となれば、そこにいる「社員」や「秘書」は、自分以下の存在のように見えてこよう。こうして、他者をひとつの役割へと固定し、道具化する暴力がふるわれるのである。これが自己欺瞞であった。ならば、「不安」は知的である。それは、「安住」の外へと、property（社長・議員）の外へと、お

＊22　このテーマについては、拙稿（堀田 2014）参照。

のれを連れだす契機にほかならない。そのとき人は、「私がある」という回収不可能な不条理に目覚めるのである。既存の価値体系に安住することなく、無根拠に価値を選び（というか「落下」し）、その決断に責任をもつこと——これが、実存主義の提唱する「本来的な生き方」であろう。

では、こうした知的自覚が、どうして反知性へと転化し、政治的な決断主義にいたるのか。問題の核心は、既存の意味世界が脱落した場（メタレベル）での「無限の肯定」が、日常世界・現実政治（オブジェクトレベル）において、絶対的な行動原理となることではなかろうか。ジュリエットは、教皇派と皇帝派の恩讐を脱落させ、ロミオの実存を絶対的に肯定する。だが、その絶対をもとに、ジュリエットの日常が、「ロミオ原理主義」に貫かれていったとしたらどうか？　こんなふうに。「ロミオはいつだって正しい！　絶対よ！　アホな若者なんかじゃない！　私とロミオだけでいいわ。マーキューシオ（ロミオの親友）、邪魔だから、死んで」。うむ、これは明らかに、とほほであろう。反知性さえひるむ。これで、ロミオに嫌われなかったら、天晴れである、ロミオ。

当然ながら、「存在」の無限肯定は、「行為」のそれと同じではない。親は、子どもの存在を無限に受けいれつつ（メタレベル）、個々の行為を否定し、叱りつけることもあろう（オブジェクトレベル）。両者は位相を異にし、矛盾なくつながるのである。にもかかわらず、決断主義は、決断の場における脱logos的な絶対性を、現実政治上の絶対的logosとして強要する。これはたとえば、左右の革命思想が、20世紀に示したことであろう。革命家たちは、ジュリエットを笑えるのか?

以下、ハイデガーとサルトルを、「実存主義⇓決断主義」の文脈で解釈する。ハイデガー『存在と時間』(1927年)を、その文脈で読めば、人が「本来的な生」へと目覚める契機は、「良心の呼び声」(Gewissensruf)ということになる。その声は、共同体の来歴、民族の共同運命(Geschick)への参入を促してくる。ドイツ人は、頽落した現状を滅却し、民族の本来性をこの世界に具現化すべく、保守革命を決断しなければならない——こうした論理は、現状否定から本来的な生(民族国家)の提示にいたるまで、知性のあゆみといいうるかもしれない。だが、民族の共同運命が生起する絶対性は、あくまでも存在論的次元で認められたものである。それを、現実政治のなかで、国民社会主義ドイツ労働者党の絶対性へとショートカットするならば、その帰結は、おぞましい反知性と暴力以外ではない。また、サルトルの場合、本来的な生は、苦しむ「他者のまなざし」に応えることで現実化する。よって、鉄鎖以外なにももたないプロレタリアートとともに、その解放にむけて行動することが必然化し、マルクス主義の革命理論を弁証するのである。こうして、左右いずれの場合でも革命は、党(ナチス・共産党)の無謬性・絶対性を称揚し、各人はマルゴトの隷属を強いられることとなる。これが、全体主義にほかならない。
彼らは、この世界のトータルな再創造をもくろむ。資本主義に汚染された世界、虚偽と暴力とエゴイズムにまみれた醜悪な世界が脱落するとき、本来的なドイツが存在として輝き、寄る辺なきプロレタリアートが存在をかけて呼びかけてくる（appeal）。これは確かに、無限や絶対の開示かもしれない。よって、「ドイツとともに」「プロレタリアートとともに」を決断した者は、その「絶対」をもとに、世界のトータルな再創造（＝革命）を企てるのである。実存主義が、意味世界そのものの脱落を提示する限り、この思想は、決断主義的な革命の政治を基礎づけよう。トータルな世界変革のためには、一度「世界の外」に立つ必要があり、その作法を実存主義が教えるのである。ハイデガーもサルトルも、こうした文脈のなかで読まれた。ゆえに、20世紀の革命思想を鼓舞したのである。[*23]
しかし、意味世界は、有限な存在者が際限なく絡みあう相対の世界である。世界外ではなく、世界内における「絶対」の主張は、自らのpropertyを魔術的に維持せんとする反知性以外ではあるまい。「絶対」は、所有不可能だからである。それは、世界外で遭遇し、感得する奇跡であり、所有可能なモノではない。にもかかわらず、世界内部に「絶対」をもたらし、自分の考えにしたがってこれを用いる者（＝革命党）は、「絶対の所有者」としてふるまうこととなる。それは、究極のproperty（＝絶対）の魔術的な肯定にほかならない。世界の外へと撤退した知性が、絶対を手に世界の内へともどるとき、反知性に転じてしまうのである。この皮肉な反転は、多くの本質主義や原理主義にも見られよう。ユダヤという固有名をマルゴト肯定すること、クルアーンの一字一句を奇跡の証として崇めること、それは確かに、無限の開示でありうる。だが翻って、その無限を、有限な世界での行動原理と見なすとき、彼らは絶対の所有者、偶像崇拝の徒へと転落する。「無限・絶対・奇跡」は、脱世界においてあらわれる。意味世界におけるその実現を、おのれのミッションのごとく捉えてはならない。

だが、そもそも決断主義者は「無限」や「奇跡」にふれたのであろうか。「有り難き奇跡」が「有り勝ちな魔術」に転落したのではなく、最初から奇跡が偽装されていただけではないのか。最後にこの疑問を考察し、この小稿を閉じたい。というのも、この問いを吟味することで、「神秘」と「魔術」の差異が明らかとなり、また反知性の証が、知性の標へと

＊23　ハイデガーやサルトルが、実存主義的な文脈で読まれたことは確かだが、ハイデガーはもちろん、サルトルにあってさえ、そうした読解は、過度に単純化されたものにすぎない。サルトルとマルクス主義との関係は、彼の生きた状況とその変化に即して、複雑な陰影をもつ。

転化するパラドクスも確認できるからである。

決断主義者や原理主義者が、意味世界の脱落において「無限・絶対」とふれあったとしたら、それは、奇跡として肯定すべきことであろう。だが、もしそれが本当に奇跡として感得されていたのであれば、「事後」はどうなるのか。そこに「無限・絶対」が存在していまっていいる。この私が奇跡にふれてしまっている。この「完了形」を感得した者にとって、「事後」はただ、ボーナスゲームとして、第二義的な意味しかもちようがなくなるのではないか。「無限・絶対」は究極であり、それを越えて、さらなる目的地が目ざされるわけではない。ならば、「無限・絶対」にふれた後、究極の真剣さにおいて、それを意味世界で具現化しようと試みる者は、実は、「無限・絶対」を知らぬ者ではなかろうか。ジュリエットの愛は、すでにバルコニーで成就している。世界の偶然が、その後ロミオとの邂逅を邪魔しつづけたとしても、2人が別のパートナーと暮らす別の生が、この世に存在することはない。運命がもてあそべるのは、世界内部の相対的な事象にすぎず、他方、2人の愛は世界の外で、「無限・絶対」として完了しているからである。偶然が2人を邪魔しつづけるなら、死すなわち世界外の力が、2人を結ぶこととなろう。

では、シオニストについてはどうか。彼らは、ボーナスゲームとしてではなく、究極の真剣さで、「約束の地」にユダヤ国家の樹立を目ざしたように思われる。大義実現のため、パレスチナの人々を踏みにじり、殺し、排除したからである。ならば、シオニストの暴力は、彼らが、ヤハウェもイスラエルも信じてはいないことの証とはならないか。奇跡にふれるとは、たとえ脱世界においてであれ、イスラエルの完了形にふれることではないのか。決断主義者や原理主義者は、彼らがふれた「絶対」の実現を試みる。え？「絶対」の実現？それって、ありえませんよね。「絶対」は、完了形でしかありえません。相対的な世界において、究極の真剣さで「絶対」の実現を試みる者は、相対的な世界の虜にすぎないのではないか。政治的決断主義や、政治的原理主義は、「絶対」にふれ「絶対」を反復しているのではなく、この世界の不満から出発し、不満解消に埋没しているのである。そこにはいささかの絶対も、無限もない。絶対にふれた者は、それが絶対である限り、なにかを目ざすことはなく、ただ反復するのである。

結論を下そう。前節であげた諸問題に答える。愛は、脱世界における固有名の不条理な肯定であり、property マルゴトの肯定である。知性とは、閉域ではなく「外」へと開かれるものであり、またその中心に logos があるとすれば、知性は logos の外部にこそ開かれ、それを肯定しなければなるまい。logos の外部、すなわち「不条理」の肯定である。愛が「不条理な実存への不条理な肯定」であるならば、知性は愛を肯定するものではないか。ただし、脱世界において。ユダヤという固有名をマルゴト肯定する奇跡がありえたならば、シオニストは、すでに完成されたイスラエルの建設を、意味世界において反復すべきではないか。ただし、最後から2番目の真剣さにおいて。以上が、第4節であげた問①、問②への回答である。

また、問③「奇跡」と「魔術」の差異についても、すでに論じた感はある。ここでは、「完了形」というキーワードの反転を確認するにとどめよう。第3節で反ユダヤ主義者を取り上げたとき、「完了形」は反知性の証であった。しかし愛が導入されたとき、それは魔術ではなく、奇跡の標となる。人はみなマヌケに実存する。そのマヌケをマルゴト肯定する愛というマヌケがありえたのである。「無限・絶対」が完了しているならば、相対的な世界の出来事1つひとつに対し、優しくなれはしないだろうか。[*24] 知性による愛の肯定は、この世のさまざまな苦難に耐える力とはならないか。自己のおかれた状況に埋没しない軽さ、間が抜けハズレてあること、それが同時に、知性の証となる場合もありえよう。[*25]

逆に、反知性としての政治的決断主義は、日常世界における煩雑さや妥協や凡庸の連鎖に耐えきれず、相対的な世界のなかで絶対の実現を目ざす。絶対が完了していることを知らないからである。日々の耐久力、これが知性と反知性を分かつ、1つの目安ではなかろうか。

【参考文献】

＊直接言及した文献に限定する。

・アーレント（１９７２〜４）『全体主義の起原』（大久保和郎、大島通義、大島かおり訳）みすず書房
・アーレント（１９９４）『精神の生活』（佐藤和夫訳）岩波書店
・デリダ（２００４）『死を与える』（廣瀬浩司、林好雄訳）ちくま学芸文庫
・ニーチェ（１９６９）『この人を見よ』（手塚富雄訳）岩波文庫
・プラトン（１９７９）『国家』（藤沢令夫訳）岩波文庫
・プラトン（１９６７）『ゴルギアス』（加来彰俊訳）岩波文庫
・プラトン（１９６７）『パイドロス』（藤沢令夫訳）岩波文庫
・堀田新五郎（２００８）「『存在と無』の倫理的可能性——非・主体的決断」『奈良県立大学研究季報』第19巻第1号所収
・堀田新五郎（２０１４）「サルトル／カミュ　実存と二〇世紀の政治」『岩波講座政治哲学５』所収
・レヴィナス（２００５）『全体性と無限』（熊野純彦訳）岩波文庫
・Bernstein,R.（1971）Praxis & Action : Contemporary Philosophies of Human Activity, University of Pennsylvania Press
・Galster,I. (sous la direction de) (2005) Sartre et les juifs, La Découverte
・Sartre,J-P.（1943）EN : L'être et le néant : essai d'ontologie phénoménologique, Gallimard (Collection Tel)
松浪信三郎訳『存在と無』人文書院、サルトル全集第18〜20巻、１９５６〜60年
（1983）CM : Cahiers pour une morale, Gallimard
（1954）Réflexions sur la question juive, Gallimard (Collection Folio)

安堂信也訳『ユダヤ人』岩波新書、１９５６年
＊サルトルの著作について訳文を変更したところも多く、訳文の責任は筆者にある。
・Taylor,C.（1985）Human Agency and Language : Philosophical Papers 1, Cambridge University Press
・Walzer,M.（1995）"Preface to J. P. Sartre, Anti－Semite and Jew", Schocken Books

＊24　人は、相対的な世界の相対的な事象を、ついつい絶対化しがちである。たとえば、「社長である私」とか「万世一系の皇統」とか「植民地化された恨み」とか、これを揺るぎないカタマリとして保持するのである。よって、だれか他人に、これを批判され、バカにされると、自分の存在自体が毀損されたように思えてしまう。でもって、テロリストと同様、「自己の存在承認」を実現するため、あらゆる手段（それこそテロをふくめ）を駆使して、批判を抹消しようと努めるのである。存在は倫理に先行する、とばかりに。
　よって、脱世界における「無限」や「絶対」は、確かに人々への恩寵となろう。思うに、相対的な世界の相対的な事象を相対化する（絶対化しない）ために、「無限」や「絶対」はとても有効なのである。世界の外へと撤退すること、それは、世界内での私の主張、他人の主張、さまざまな出来事や状況を、すべて等距離において眺め、おやおやと苦笑する、そんな観点が与えられるということである。誤解を恐れずにいえば、究極的には、すべてがどちらでもかまわない。すべてはすでに、美しく完了しているのだから（たとえば釈迦は、そんなことを語ってはいないだろうか?）。同時に、究極の1つ手前においては、美しくないもの、人を傷つけるものに対し、生命を賭して戦うべきではないか。勝ち負けは関係ない。ただ、傍観はしないのである。

＊25
先に註2において、ソクラテスとニーチェを対比させ、ニーチェが「知性の証としてのマヌケ」をこれ見よがしに楽しんでいることを確認した。ここで詳述する余裕はないが、ニーチェVSソクラテスを論じるとき、「無限・絶対」との関係における両者の対照が焦点となるように思われる。ソクラテスはつねに「人間」的である。絶対との無限の距離を埋めるべく、永続的な努力の更新が求められる。これに対し、ニーチェは「超人」的である。絶対との距離を否定し、無限の受肉を、すなわちこの私におけるその完了を感得するのである。「なぜ私はこんなに賢明なのか」「なぜ私はこんなに利発なのか」「この人を見よ」、この一連の戯言は、自分自身に対する苦笑ではなかろうか。この私が絶対を受肉していること、これは、苦笑するほかない事態と思われるのである。

さて、絶対との距離が否定されるとき、人は超人になるとして、ではその超人は、以後どのように行動するのだろうか？　唯我独尊とばかり、他者をないがしろにし、支配するものなのか？　否、おそらくは否であろう。絶対を受肉し、自身を苦笑する者は、たぶん、特にやることがない。ただ、毎日をのんびりと過ごすのみではないか。日日是好日である。とはいえ、世の中で笑っていない人、楽しんでいない人がいたら、その人を笑わせたり、楽しませたりはする。その方が、よい気持ちだからである。ということで、実際のところ超人は、苦しんでいる人たちのために、東奔西走していよう。ホモ・サピエンスは愚かにも、他者をないがしろにし、争いを続けるからである。だから超人は、のんびりと忙しいのである。

おわりに

撤退は、知性の証である。撤退的知性を働かせよ。これが本書のテーマである。自分がいる場所が、これまでのやり方が、「もうダメだ、もたない」と思う3歩手前くらいで、たんたんと撤退しなければいけない。「わかっちゃいるけど、止められない、止まらない」が続き、自殺や過労死やジェノサイドにいたってはならない。そのまえに、学校や職場や戦場から、撤退するのである。本書は、撤退を困難にする惰性や慣性の力を考察し、それを脱落させる作法についてさまざまに論じてきた。最後にもう1つ、撤退を呼びかけたい。ウクライナとガザからの撤退、「いたし方ない」「ほかに方法がない」からの撤退である。

我々には、ロシアとウクライナ、イスラエルとパレスチナの歴史をひもとき、和平の道を明かす余裕も能力もない。戦場からの映像を見ると、嘆くしかない。いつもながら国連安保理は無力である。世界を揺るがす事案で、常任理事国（中仏露英米）のどこかが拒否権を使わないことなどありえない。だが、拒否権の廃止も現実的ではなく、廃止したなら、国際連盟の二の舞（大国の離脱）となりそうである。よって、総会決議（法的拘束力無し）のほか、国連ができることは限られている。いたし方ない。NATOもまた、ウクライナに武器供給はするが、ロシアとの直接交戦は避けなければならない。だから、お互い決め手がなく、出口の見えない消耗戦が続いていく。いたし方ない。また、イスラエルが、ハマスの無差別奇襲に報復するのを、だれも止めることはできない。ガザの人道危機は深刻だが、アメリカがイスラエルを本気で諌めることはなく、しばらくは爆撃も地上戦も続くだろう。もちろん、ハマス撲滅に成功したとしても、アラブ人の怒りが燃えたぎる限り、また第2、第3のハマスがあらわれるにちがいない。繰り返し繰り返し、同じ悲惨があらわれては消えていく。だが、なにか別の方法があるわけではない。いたし方ない。

すべてその通りかもしれない。そうして、人々は死に続けていくのである。これまで通り、常識的な国際政治のフレームで捉えていたら、これまで通り、なすすべもなく人が死ぬ。であれば、常識とは異なるもの、これまでのフレームとは次元が異なるもの、ある種「荒唐無稽なもの」が、いま世界に必要なのではないか？「いたし方ない」「ほかに方法がない」から抜けだす方法は、そういうことだと思われる。そうした「破天荒」があらわれない限り、戦争が止むことはなく、そして、止まないならば、いつかテクノロジーの加速により、人類にカタストロフィーが訪れかねないのである。ならば、選択の余地はない。我々は、荒唐無稽を思考すべきなのである。

「序」のなかで、この書物は「問いの書」であり、「回答の書」ではないと述べた。本書が示した問いは、いずれも枢要なものと考えているが、回答はその限りではない。本書の回答、たとえば、戦争からの、資本主義からの、信仰からの撤退の作法は、いずれも荒唐無稽だからである。むろん、弁解もないわけではない。現代世界では、戦争が、資本主義が、善悪にかかわる神が、人々の疑いえない地平となっており、そしてその地平こそ、人々から「楽しく生きること」を奪っているように思われるからである。地平からハズレることと、これは必然的に荒唐無稽となる。だからもし、本書の回答になにかしら意義があるとしたら、それはその内容というより、荒唐無稽を示したという、メタ内容かもしれない。荒唐無稽、破天荒、型破り、ハズレ、それは思考されるべきであり、示されるべきである。私は、世界の知性にそう訴えたいのである。あなたもまた、示してみませんか？　イエスのように、人にやさしい、奇天烈を。

本書の成り立ちについて記しておく。「撤退学宣言」の第1章と第2章はそれぞれ、『奈良県立大学研究季報』第31巻第4号（2021年3月）、第32巻第2号（2021年11月）に掲載された論稿をリファインしたものである（第3章は書下ろし）。また、補論1の「倫理とイエス」は、『奈良県立大学研究季報』第20巻第1号（2009年10月）所収の論文「倫理から政治へ――サルトルは何故『倫理学ノート』を放棄したのか？」の一部を、大幅に書き改めたものである。もう一つのイエス論「政治と文学、あるいはマキァヴェッリとイエス」は、『講義 政治思想と文学』（堀田新五郎・森川輝一編、ナカニシヤ出版、２０１７年）所収の論考「アルベール・カミュ『ペスト』と「中庸」の政治思想――そのラディカリズムについて」の一部を、書き改めたものである。補論２「知性と反知性――ソクラテスを起点に」は、『政治思想研究』第20号（２０２０年）所収の論文「知性と反知性――ソクラテスとサルトルを起点に」に加筆・修正したものである。

最後に。本書にかかわってお世話になった方々に感謝申し上げたい。まず、撤退学研究プロジェクトの皆様には、御礼とお詫びを。私の荒唐無稽な思いつきを面白がって、研究プロジェクトに仕立てていただきました。本当に有難うございます。本書の刊行が遅くなって、申しわけありません。「撤退学」の名前が記された本は、これで2冊目となりました（1冊目は、奈良県立大学地域創造研究センター撤退学研究ユニット編『山岳新校、ひらきました』H.A.B.）。２０２４年5月刊行予定の論文集『撤退学の可能性を問う（仮）』もまた、よろしくお願いいたします。

次に、内田樹先生に御礼を。撤退学のスタートとなったシンポジウム（２０２１年9月）

にゲストスピーカーとして参加いただきました。それが1つの契機となり、晶文社から内田樹編『撤退論』（2022年）が刊行され、それに私も寄稿することで、晶文社・安藤聡さんとのご縁をつないでいただきました。安藤さんには、感謝の言葉もございません。謝罪の言葉しかありません。ごめんなさい。同じ人に同じ内容の謝罪（原稿の遅れ）を、こんなに幾度もしたことはありません。空前です。絶後にしたいです。安藤さんの忍耐力がなければ、本書が世に出ることはありませんでした（「あとがき」の常套句ですが、身に沁みます）。本当に有難うございます。これらの方々のおかげで、この本が刊行されました。本書が、なかなか撤退できずに苦しんでいる人の一助となれば、幸いです。

2023年12月　堀田新五郎

堀田新五郎（ほった・しんごろう）

神戸大学大学院法学研究科中退。現在、奈良県立大学教授（もうすぐ中退）。専門は政治思想史。『講義 政治思想と文学』（共編著、ナカニシヤ出版）、『撤退論』（分担執筆、晶文社）、『山岳新校、ひらきました――山中でこれからを生きる「知」を養う』（分担執筆、H.A.B）など。世のしがらみと組織の力学とやむにやまれぬ思いから、撤退学を始める。

撤《てっ》退《たい》学《がく》宣《せん》言《げん》

ホモ・サピエンスよ、その名に値するまであと一歩だ

2024年2月5日　初版

著者　堀田新五郎

発行者　株式会社晶文社

東京都千代田区神田神保町1-11 〒101-0051

電話03-3518-4940（代表）・4942（編集）

URL https://www.shobunsha.co.jp

印刷・製本　中央精版印刷株式会社

ISBN978-4-7949-7406-8 Printed in Japan

JASRAC（出）2310315-301